新潮文庫

魔女の1ダース

—正義と常識に冷や水を浴びせる13章—

米原万里著

新潮社版

6400

目次

魔女の1ダース
——正義と常識に冷や水を浴びせる13章——

プロローグ

魔女の集会に出席して

「魔法使いの集会に行ってみませんか」

「そ、そ、その魔法使いってのは、どういう意味です」

「まあ現代風に言うと、超能力者ってところですかね」

当時ソ連邦共産青年同盟機関紙「コムソモリスカヤ・プラヴダ」きってのオカルト記者R氏は、会うなりわたしたちの度肝を抜いた。

「モスクワには現在、約二万人の魔法使いがおります。それが大小五〇〇ほどのグループに分かれていましてね、土曜や日曜の昼下がりから夜にかけて集会を開くんです」

一九九〇年の夏、ある雑誌の取材でモスクワを訪れたときのこと。その話に飛びついたわたしたちが案内されたのは、場末の、建てて以来一度も手入れしていない感じのすさまじく荒れはてた団地の３ＤＫである。七人の「超能力者」に大歓迎されてしまった。

もっとも、相手の手を握っただけで、その人の過去現在未来を読み取るという「千里眼の女」は、わたしたち四人の内の誰一人の過去現在を言い当てられなかったし、今となっては未来予測も完全に外れていたと断言できる。ポルターガイスト現象を起こせると豪語する男も、宇宙人を餌付《えづ》けしたという男も、その力をわたしたちの目の前ではついに見せてくれなかった。

「思ったとおり」という安堵の念とささやかな期待がかなわなかったという軽い失望とを嚙みしめながら、気のいい「魔法使いたち」のもとを去ったものだ。

ただし、まだわずかな可能性は残っていた。「無接触診断士」を自認する男がコラムニストE氏の身体の周囲のオーラに「触り」ながら、

「三か月以内に必ず悪性脳腫瘍になる」

という恐ろしい告知をしたのだ。それから姿形はいかにも魔女の画家が、

「この絵を毎日眺めていて肺ガンが直った人がいる。具合が悪いときは、ひと目見るだけで気持ちが良くなってくる」

という自作をわたしにプレゼントしてくれた。

コラムニストのE氏は、それから三か月後も、五年以上たった今もピンピンしている。わたしのもらった絵のほうは、風邪も腰痛も治してくれないだけでなく、色彩感覚が狂っているものだから、しばらく眺めていたりすると吐き気がしてくる。母がうす気味悪いといって、ゴミの日に出してしまった。

一ダースは一二ではない?!

そんなわけで、残り〇・〇〇〇〇〇一％の期待も潰えたわけだが、わたしとしては、素晴らしい収穫があった。

まず第一に、意外な発見があった。「コムソモリスカヤ・プラヴダ」という、当時も今もロシアでは最大級の発行部数を誇るクォリティー・ペイパー、まあ日本でいえば「朝日」「毎日」「読売」や「日経」に相当するような大新聞の科学部の記者R氏は、当然科学的立場からオカルトを取材してきたのかと思っていた。それが、真面目《まじめ》に超能力や魔法を信じ切っているのである。彼の「魔法使い」たちを見る眼差《まなざ》しは熱狂的崇拝者か、敬けんな信徒のそれであった。わたしの思い過ごしでなかった証拠に、「魔法使い」たちの元を引き上げる道すがら、

「ま、こういう怪しげなオカルトやカルトが流行《はや》るのは、国民の生活水準が急速に向上したのに、知的水準のほうは、それに見合って向上せずに低いままである時に特有の現象っていわれてますね。日本もよく似てますよ」

と訪問の感想をも含めて述べると、R氏は相槌《あいづち》をうってくるどころか、烈火のごとく怒って、車を止めると外に出てしまった。

「お前らみたいな不信心者ぞろいだったから、魔法使いたちは超能力が発揮できなかったんだ！　クソ食らって死ね！」

とかなんとか捨て台詞《ぜりふ》を吐くと、憎しみを込めて扉をたたきつけて行ってしまった。

もう一つは、正真正銘の収穫である。「魔法使い」たちは、帰り際《ぎわ》わたしにだけ小さな本をプレゼントしてくれた。外国人訪問者のなかで、わたしだけロシア語がわかると

見てのことだろう。黒い皮表紙に金色の文字が彫ってあり、『悪魔と魔女の辞典』とある。パラパラとめくってみると、

愛―相手から無料で利益を引き出すのに、相手が対価以上のものをこちらから獲得したと錯覚し、トクしたと思わせるための呪文《じゅもん》の一種。ただし、呪文を唱える当人のほうが錯覚し、自分のほうが損をしていると思いこむ場合も多い。「無償の愛」などとわざわざ定語をつけたりすることがあるように、本来は有償なものと考えられている。

希望―絶望を味わうための必需品

思いやり―弱者に対しては示さず、強者に対して示す恭順の印

謙遜《けんそん》―自慢したいことを他人に言わせるための一種の方法

などなど「まっとうな」世界ではプラスイメージにつながる概念が、マイナスイメージに、マイナスイメージにつながる概念はプラスイメージにことごとく逆転するパター

ンになっているのだった。列挙された語彙《ごい》のなかに、「ダース」というのがあり、「一三個一組をさす」と説明しているのには、膝《ひざ》をたたいた。

世間一般の常識では、一ダースの鉛筆といえば、一二本。試みに手元の英語の辞書でダース dozen を引くと、「一二個一組をいう」とあるし、平凡社の百科事典には、「同一種類の物品一二個を一組として数えるときの単位」とある。

ところが悪魔や魔女の世界では、一ダースは一三本というのが通り相場だったのである。ちなみに、研究社露和辞典でも、岩波露和辞典でも「悪魔の一ダース чёртова дюжина」を引くと、「一三（不吉な数）」と、ちゃんと出ている。

一三人目が裏切り者だった「最後の晩餐《ばんさん》」の例を引くまでもなく、絞首台のことを階段が一三段あるところから別名「一三階段」と呼ぶように、キリスト教文化圏において一三は不吉で邪悪な数字。日本や中国では「四」が「死」と同音だとして、この数字を病院やホテルやマンションで忌《い》み嫌って避けるように、欧米諸国では一三号室も一三階も設けない習慣が根付いているらしいのは、よくご存知だろう。何しろ triskaideka-phobia（一三恐怖症）という単語があるほどなのだから。

それにひきかえ一二は好ましく幸運な数字。イエス・キリストの生まれたのも一二月なら、その弟子の数も一二人。一年は一二の月から成り、一日は一二の二倍の二四時間から成る。天空は一二の星座によって棲《す》み分けられるのが、西洋の占星術。この一年や一日の時間や方角などを円というふうに捉《とら》えて一二等分する方式は、バビロン起源らしい。これは、ヨーロッパにも中国にも受け継がれたようで、後者では一二支となってわが日本にまでたどり着き、日本人の日常生活の隅々、言葉の端々にまで染《し》み込んできたのは、周知のとおり。

一二という数字は秩序と安定を象徴するのに対して、一三は、それを攪乱《かくらん》する邪魔もの、半端《はんぱ》もの扱いのよう。これを悪魔と結び付けたのだろう、キリスト教は。

悪魔はもともと仏教用語で、仏の道を妨げる邪悪な神々全《すべ》てを指しているらしいが、キリスト教文化圏の原語からの翻訳にも借用するようになったようだ。「悪魔」という訳語を当てはめた原語のひとつとして、ヘブライ語起源のサタン（敵対者）というのがある。神とキリストと人間の敵対者。人類の祖アダムとイブを誘惑し原罪を犯させ、そのため二人は楽園を追われてしまった。その後も悪魔は人類の進む先々で神の教えを妨害し、人間の弱みにつけ込んで罪を重ねさせる悪役として活躍する。

魔女や悪魔は異端の代名詞

もっとも、これは聖書による解釈で、歴史的事実をたどると、悪魔やその情婦の魔女に擬せられたのは、キリスト教の正統とは異なる教え、異なる文化の担《にな》い手だった模様である。要するに異端や異教にかぶれた人々。

時代によって悪魔、魔女、悪霊という名の異端の範疇《はんちゅう》はいろいろ様変わりしてくる。ゲルマン人の原始的多神教の神々（＝デーモンdemon—これも悪魔の原語のひとつ）やその信奉者であったり、古代ギリシャ・ローマ（デーモンの語源のダイモンdaimonは、もともとギリシャ神話では地上の良き霊を指す）、あるいは東洋の文明や文化の担い手であったり、聖書が説くものとは異なる世界観を主張する天文学者であったり。

どの宗教にも正統を自認する派は、それと異なる教義や解釈をする派を異端として、排除、断罪する傾向があるが、排他的一神教のキリスト教には、とくにそれが強かった。カトリック教会内に異端を摘発処罰するための異端審問という裁判制度まで設けられるのは、一二世紀後半以降である。摘発のためには、聖職者だけでなく信者からの密告が奨励され、審問官には、被疑者を拷問《ごうもん》する権限まで与えられたという。「異端」の範疇はどんどん拡大解釈されてゆき、教義上の異端にとどまらず、民間信仰や伝統的治療法、教会内の権力闘争にまで適応されていった。だから、宗教改革者のヤン・フスや聖書の説く天動説を覆《くつがえ》す地動説を唱え、宇宙の無限、汎神論《はんしんろん》など大胆な思想を展開したジョルダーノ・ブルーノだけでなく、なぜかイギリスの侵略からフランスを救ったはずのオルレアンの少女ジャンヌ・ダルクまでも、火炙《ひあぶ》りの刑に処せられてしまうのだ。

一三世紀以降一七世紀末頃までヨーロッパ各地におけるキリスト教会の「魔女や悪

霊」に対する弾圧は熾烈《しれつ》を極め、魔女狩り→拷問→魔女裁判→火刑という不条理で狂信的なやり方で一〇万人以上の人々が殺戮《さつりく》されている。

すぐ思い浮かぶのは『ノートルダム・ド・パリ』。ビクトル・ユゴーは、主人公のノートルダム寺院の鐘突きのせむし男が片思いする美しいジプシーの踊り子エスメラルダが、濡《ぬ》れ衣《ぎぬ》を着せられ魔女に擬せられたあげく処刑される悲惨でグロテスクなプロセスを物語にしている。

一八世紀に入ると、より合理的な考えである啓蒙《けいもう》思想も普及していき、魔女裁判は次第に下火になっていった。もっとも、その後の時代も、悪魔とか魔女とか悪霊とかいう言い方はしないものの、世界各地で魔女狩りは行われてきた。ヒットラー・ナチスの統治する第三帝国では、魔女は「ユダヤ人」と呼ばれていたし、大政翼賛会体制が国の隅々まで行き渡った大日本帝国では「非国民」、「アカ」と命名されていた。スターリンが独裁をしいたソビエト連邦では、「トロツキスト」とか「外国のスパイ」と名付けられ、マッカーシー旋風の吹き荒れたアメリカでは「アカ」と総称され、文化大革命のさなかの中華人民共和国では「反革命分子」という烙印《らくいん》を押されていたのは、まだ記憶に新しい。

国民を急速かつ効率的に戦争遂行や権力掌握などの目的で強引に動員するときには、この魔女狩りというやり方が好んで用いられていた。全体主義には魔女は不可欠。画一的な一つの見方、一つの方向に国民を統制していくためには、異なる世界観や思想や行動様式や思考法の持ち主は血祭にあげなくてはならない。

もっともこういう体制はどれも長続きせず、惨憺《さんたん》たる終焉《しゅうえん》をむかえたのは周知のとおり。その後遺症は、その後も社会と人々を苦しめているが。

異文化の受容はつねに憧憬《しょうけい》と反発をともなう

以上のように大がかりで狂信的、残虐《ざんぎゃく》ではなくとも、異分子や異端を忌み嫌い、異なる文化やものの見方に対してかなり閉鎖的な社会や人間集団というのは、どの時代にもどの民族にもあったし、われわれ一人一人のなかにもそういう要素はある。まさに、そういう要素があるからこそ、魔女狩りという集団ヒステリー現象は成立し得た。為政者の意向だけでは、到底不可能であったはずだ。

異文化に対する対応には、許容と排除の両極の間に様々なグラデーションがある。翻訳の歴史を論じた快著『翻訳史のプロムナード』（みすず書房）の中で、著者の辻由美《つじゆみ》さんは、こんなことを述べている。

「翻訳は、ほとんど宿命的といってよいほど、相矛盾する価値観を背負わされているものだ。他の文化の影響を受けない純粋文化などどこにもないことや、異文化を吸収する能力はバイタリティーの証拠であることを、否定する人はおそらくいないだろう。それに、だれしもどこかに異文化に対する憧憬をいだいている。

けれど、いっぽうでは、どこの文化も実際以上に『独自性』を主張したがる。マネゴトはつねに恥なのだ。そのうえ『外のもの』とはときには『外圧』のようなものであり、既存の価値観や秩序を危うくする。それはアイデンティティーの危機として受けとめられることさえある。

いつの時代にも、翻訳はその大部分が『支配的文化』とみなされるものからなされるので、なおさらである。たとえば現在ならば、ほとんどどこの国でも、圧倒的多数をしめるのは、英語からの翻訳だろう……。

だが、支配的なものに対する憧憬は往々にして抑圧された反発と隣り合わせになり、それはあるときには憎悪《ぞうお》に転じる。日本の近代化を例にとってみればよい。古代から日本人は中国文化に範をあおいできた。しかし、日本文化研究家のドナルド・キーンも指摘していることだが、近代の夜明けに、日本が中国から西洋へと師の鞍替《くらが》えをやってのけようとしたとき、そこから芽ばえてきたのは、それまで師とあがめた中国に対する敵対心と蔑視《べっし》ではなかったか。

歴史的事情はまったくちがうが、近代ヨーロッパにおける反ユダヤ主義にも、これと比較しうる背景がうかがえる。フランスの歴史学者レオン・ポリアコフは、ヨーロッパ世界がキリスト教支配から脱して、アダムにかわる祖先をアーリア人に求めようとしたとき、それが同時に、キリスト教の源流に位置しているユダヤ人にむけられるおそるべき武器となっていくさまを、見事に分析している」

右のように論じる辻由美さんは、各国の翻訳史を跡付け、勃興期《ぼっこうき》のアラビア、ルネッサンス期のヨーロッパ、古代統一国家形成期の日本などの例をあげながら、

「社会が大きく変わっていく激動期をむかえた国々では、いつの時代にも盛んに翻訳が行われています」

とロシア語通訳協会主催「第一六回通訳の諸問題シンポジウム」での講演で述べている。それは、異文化の含有する新しい世界観やものの考え方が、行き詰まった社会や文明に突破口を開き、新たな可能性をもたらすからであろう。

異端は、自己完結しているかのように見える世界に風穴をあけてくれるからだ。馴染《なじ》みの同じ風景が異なる意味を帯びてきたり、新鮮な面を見せてくれたりする。それは、今まで「正義」や「常識」と思いこんできたものを、ひっくり返してしまうような脅威さえ秘めている。

一三も日本ではおめでたい数字

自意識過剰で自己表現を求めてやまないタチのわたしが、他人の話を他人の耳となって聞き、他人の口となって伝える通訳という仕事の魅力にとりつかれたきっかけとなっ

た、徳永晴美《はるみ》師匠との衝撃的な出会いについては、本書の中でも語っていくつもりだ。実は同じころ、徳永師匠とは好対照をなす中川研一という、もう一人の師匠にも出会った。前者を陽とすれば、後者は陰。オプチミストとペシミスト。今にも壊れそうな橋でも強引に渡ってしまうタイプと石橋を叩《たた》いても渡らないタイプ。難しい会議の仕事が近付くと、前者は実によく食い、

「競馬の馬でも優勝するようなヤツは、レースに出る度によく食うものだから、肥えていくらしいぜ、ガハハハ」

と馬にこと寄せて自画自賛するのに対して、後者は心配のあまり食事が喉《のど》を通らなくなる。当然通訳の手法も正反対で、徳永さんはガバッと本質を捉えて大筋を伝えていくのに対して、中川さんは、通訳には珍しい完璧《かんぺき》主義者で、厳密さにこだわって丁寧に訳していく。割れ鍋《なべ》に綴じ蓋《ぶた》みたいな同時通訳の名コンビなのである。

この何もかも対極にあるような二人だったけれど、わが国ロシア語同時通訳の草分けと呼ばれるにふさわしい共通点を合わせもっていた。こと自分が学びとった、あるいは探り当てた通訳技術や方法論上の発見を後輩に伝授することにかけては、ともに並々ならぬ情熱家であった点である。その中川師匠があるとき、

「絶対絶対なんていうけど、物事に絶対なんてことは絶対にないんだからね」

と奇妙なことを口走ったことがある。二律背反の見本みたいなテーゼだけれど、時間

が経《た》つほどに、あれは名言だったなあと思えてきてしかたがない。

ある国や、ある文化圏で絶対的と思われてきた「正義」や「常識」が、異文化の発想法や価値観の光を当てられた途端に、あるいは時間的経過とともにその文化圏そのものが変容をとげたせいで、もろくも崩れさる現場に何度立ち会ってきたことだろう。一方で人間は常に飽くことなく絶対的価値を求めてやまない動物なのだから困ったものである。

西洋人が忌み嫌う一三という数字だって、東洋では、少なくとも中国や日本ではおめでたい数字でさえある。宋《そう》代に確定した仏教法典は十三経にまとめられたし、中国の仏教は、一三宗あるといわれている。また、旧暦三月一三日（今は四月一三日）に、一三歳の少年・少女が盛装して、福徳・智恵《ちえ》・音声を授かるため虚空蔵菩薩《こくぞうぼさつ》に参詣《さんけい》する「十三参り」という行事が『広辞苑』に紹介されている。当日境内で一三品の菓子を買って虚空蔵に供えた後、持ち帰って家中の者に食べさせるという。京都嵯峨《さが》の法輪寺が有名なのだそうだ。

こんなに一三を好むなんて、中世のヨーロッパ人から見たら、日本人は悪魔にうつったかも知れない。「ところ変われば、品変わる」。同じ事物や現象に対してさえ、異なる歴史を歩み、異なる文化を育ててきた社会集団によって捉え方や意味付けが一八〇度変わってしまう。

それにちなんでなぞなぞをひとつ。サウジ・アラビアの王子様の一人が日本を訪れ、たまたま目にした車に心底惚《ほ》れ込んでしまった。

「豪奢《ごうしゃ》で華やかで気品があって威厳がある。これぞ余が捜し求めていた理想の車じゃ」というわけで、さっそく買い求め、今も国で愛用しているという。たしかに一切の先入観なしに見るならば、王子様の用いた形容詞はこの車を描写するのにピッタリかもしれない。でも、おそらく日本人には、この車を毎日乗り回す気は絶対におこらないだろうと思う。さて、この車は何でしょう。

アダムとイブの国籍は？

人間の原罪となったサタンの仕業をめぐる論議にしても、国によってずいぶん見方が違う。蛇に化けた悪魔の誘惑に負けて神様に食すことを禁じられていた林檎《りんご》という名の赤い木の実をかじってしまったアダムとイブは智恵と性愛を知ってしまう。そのため二人はエデンという名の楽園を追われ、以後人類の罪多き波乱万丈の歴史が始まったとされている。はたして、このエデンはどこであったのか、アダムとイブは何人《なにじん》であったのか。キリスト教と聖書を自国の文化的アイデンティティーのバックボーンとして認識している西欧諸国では、いまだにこの論議が盛んである。

ある文化人類学の国際会議でもアダムとイブの国籍について激論が交わされた。どの国の学者も、自分の国の人であって欲しいという願望をどうやら持っているらしい。このあたりは、非キリスト教文明圏の我々にはちょっと分かりにくいのだけれど、とにかくそういう願望が根っ子にあるものだから、議論も熱くなる。

まずイギリス人が、

「エデンの園は、絶対にイギリス以外に考えられない」

と言い張る。曰《いわ》く、

「イギリスは紳士の国だ。林檎が一つしかないとき、何はさておき、まずレディーにお譲りするとは、これぞジェントルマンシップ。アダムはイギリス紳士だったはずです」

フランスの学者も、一歩も退《ひ》かぬ構えである。

「いや、二人はフランス人に相違ない」

と譲らない。

「たかが林檎一個で男に身体《からだ》をまかせる女なんてフランス人ぐらいしかいないはずだ」

となかなか説得力のある発言。ところが、そのときまで黙って話に耳を傾けてきたソ連（当時はまだソ連があったのです）の学者が、やおら立ち上がると、自信たっぷりに言い切ったのだった。

「議論に決着をつけてさしあげましょう。アダムとイブはわが同胞であったに違いありません。ろくに着るものもなく裸同然の暮らしをしていながら、食い物ときたら林檎一個ほどしかないのに、そこを楽園と信じ込まされていたなんて、ソビエト連邦の市民以外に考えられますか」

これには、各国の並《な》みいる学者先生方も心から納得し、反論はなかったと伝えられている。

異端のいる風景

これは、『新版　ロシア人』の著者、ヘドリック・スミスが紹介している小咄《こばなし》だが、わたしたち東洋の孤島の日本からみて同じヨーロッパと総称されるキリスト教文明圏の国々同士でも、これだけお互い異なる。個性がある。そして、それぞれ常識と思いこんできたものが、衝突し合うことによって相対化される。

本書のなかでは、つぎつぎに異端のいる風景を紹介していこうと思う。ベルリンの朝鮮人、イスタンブールの日本人、バルナのイラン人、モスクワのベトナム人、マニラのスイス人、シベリアの日本人、奈良のロシア人、東京の福島県人、シベリアのフランス人、ベニスのアメリカ人、アフリカの日本人等々。

見慣れた風景の中に異分子が混じることによって、見えていなかったものが、見えてくる。素《す》っ頓狂《とんきょう》な出来事や、意外な発見や、驚きの再発見があるのではないか。そうやって常日頃当然視している正義や常識に冷や水を浴びせてみたい。できれば、『悪魔と魔女の辞典』流儀で正の価値と負の価値を逆転してみたい。そんな風に考えている。

そうそう、先ほどのなぞなぞの答えを申し上げておこう。

サウジ・アラビアの王子様の一人が日本を訪れ、たまたま目にして心底惚れ込んでしまった豪奢で華やかで気品があって威厳がある理想の車は、霊柩車《れいきゅうしゃ》。

第1章　文化の差異は価値を生む

イスタンブールの日本人

アジアとヨーロッパを分かつボスポラス海峡の両岸にまたがるイスタンブールは、世界で最も美しい都の一つと言われている。古代ギリシャ時代はビザンチウムと呼ばれ、四世紀、ローマ帝国が東西に分かれてからは、東のほうの首都として「第二のローマ」またはコンスタンチノープルと名付けられた。ゲルマン民族大移動のとばっちりで、西ローマ帝国は五世紀に滅ぼされてしまうが、東ローマ帝国のほうは、一五世紀オスマン・トルコに征服されるまで生き延びる。その後一九二三年にトルコの首都がアンカラに遷《うつ》されるまでトルコの首都であった都市。

なーんて、のっけから観光ガイドブックか歴史の教科書のおさらいみたいになってしまって申し訳ない。いつの間にか世界史の授業を思い出してしまう。イスタンブールは、そういうところだ。郊外には古代ギリシャやローマ時代の遺跡もあるし、ギリシャ正教の総本山の役割を果たしてきた聖ソフィア大寺院、アフメットとスレイマンの二大イスラム寺院やトプカピ宮殿など、それぞれの時代にここを支配した国や民族が遺《のこ》していった置き土産が今も息づく不思議な魅力をたたえた都市なのである。

七年ほど前の七月初め、この町のヨーロッパ側旧市街に位置するシルケジ駅のプラットホームに妙齢の日本女性が降り立った。かなりくたびれたジーパンにTシャツ姿、重そうなリュックサックを背負っている。顔はうつ向き加減で見るからに元気がない。リュックからぶら下がっている名札には黒川ひとみとある。

ハネムーンの予定で四週間も休暇を取ってしまったのだが、式直前に婚約解消の運びとなった。ひとみ自身の意思でもあり、破談そのものについては、未練は一切ない。しかし周囲の同情と好奇の眼差《まなざ》しが鬱陶《うっとう》しかったし、この間の精神的なストレスは相当なものだった。せっかく取った休暇をキャンセルせずに、心と身体《からだ》の立て直しをはかることにした。ウィーン、プラハ、ブダペストと東欧めぐりを決行したが、一人旅の緊張と心細さに疲れはててしまった。

近寄ってくる男は、どれもこれもロクなのがいない。

「ベトナム女か」

と明らかに蔑《さげす》みと好色の入り交じった眼差しで遠慮なくなめ回す。日本人と知った途端に豹変《ひょうへん》する。金を持っているだろうと思うのか、卑屈になる。ああ、いやだいやだとブダペストで列車に飛び乗り、ベオグラードもソフィアも下車せずに、ここイスタンブールまで来てしまった。

七月といえば、トルコでは一年で最も暑い季節のはずなのだが、東部アナトリアなど小アジアの内陸部と違ってイスタンブールは地中海性気候というのだろうか、ありがたいことにしのぎやすい。タクシーを拾って、駅の案内所で斡旋《あっせん》してもらった旅館名を告げる。

「お客さん、ベトナムかい」

と、プラハやブダペストで辟易《へきえき》したあのお馴染《なじ》みの台詞《せりふ》を吐いた運転手の声には、しかし蔑みの響きはなかった。ああ、ここはもうアジアなんだ。人なつこそうな真っ黒な瞳《ひとみ》でこちらをのぞき込みながら、

「イスタンブールは初めてかい」

と尋ねる。男に対する警戒心を研ぎ澄まし続けてきたあまり、ささくれだっていたひとみの気持ちを和らげるような愛敬《あいきょう》のある笑顔をしている。日本人だと知った時の運転手の反応は尋常ではなかった。ホテルは、ヨーロッパ大陸側旧市街にあるはずなのに、勝手にアタチュルク橋を通って金角湾を渡り新市街に車を運んでしまう。さらに海峡沿いに車を飛ばしながら、

「ボスポラス海峡を渡らずしてイスタンブールに来たなどと言うなかれ」

とかなんとか言って、ボスポラス大橋を渡り、アジア側の市街を一巡りすると、帰りは第二ボスポラス大橋を経由してあれよあれよと言う間に小アジアまで往復観光してしまったのである。さては、金満日本娘にたかる悪徳運転手かと顔面が心なしか強《こわ》ばってくる。運転手のほうは、三重あごの顔からはみ出しそうな笑みで嬉々《きき》としている。観光案内を続けるつもりらしい。

「急いでいるの。早くホテルに行ってちょうだい」

おそるおそる、しかし決然と言い切るひとみに、

「おお、それを早く言ってくだされればよろしいのに」

とあっけないほど快く応じる運転手。新市街からガラタ橋を渡って旧市街に戻ると、ようやく目的のホテルに着いた。だが、

「日出《い》ずる国のお方と知った以上、とてもお代はいただけない」

と言い張って、どうしても運賃を受け取ってくれないのである。

安宿なのだが、ホテルの歓迎ぶりも並大抵のものではなかった。宿賃こそ取ったが、明らかに一番いい部屋をあてがってくれている。フロントもメイドも職務上の愛想笑いの域を越えた好意に溢《あふ》れた微笑《ほほえ》みを注いでくれる。そして、まるで間投詞みたいに、

「トーゴ、トーゴ」

と言う。ひとシャワー浴びて、散歩に出た。露天の花屋が声をかけてくる。

「もしや、お嬢さん、日本のお方では」

そうと知るや、抱えきれないほどの花束を押しつけてきて、

「ぜひ受け取ってくれ」

そう言って追いかけてくる。

「トーゴの国の人だから」

そうか。東郷平八郎だ。このとき初めてひとみは謎《なぞ》が解けた。日露戦争で旅順港閉鎖作戦を指揮し、ロシア海軍極東艦隊に黄海海戦で、バルチック艦隊に日本海海戦で壊滅的打撃を与えた軍人の名前。

「極東の小国日本が大国ロシアを破った」

というニュースが世界を駆け巡った今世紀初め、欧米列強の植民地的支配のもとであえぐアジア諸国の人々をどれほど励まし、勇気づけたかという話は、色々なところで耳にしたような気がする。たしか、インドの初代首相となったネルーの伝記にも、

「それまで白人に対して抱いていた劣等感を打ち砕いてくれた」

というような言葉とともにその時の感動が綴《つづ》られていた。日本はあの時、アジア諸国の人々にとって、いやおそらく白人による帝国主義的略奪と支配と差別に喘《あえ》いでいた世界中の有色人種の人々にとって希望の星に見えたのだ。

その後アジアの近隣諸国は、日本が師と仰ぎ必死で真似《まね》た先輩の欧米列強に負けないほど残酷で獰猛《どうもう》な帝国主義国になりおおせたとばっちりをモロに受けた。日本の「大東亜共栄圏」構想に巻き込まれて辛酸をなめ、日本に対する幻想を払拭《ふっしょく》するばかりでなく、怨嗟《えんさ》に満ちた憎悪《ぞうお》さえ抱くようになった。ところが、ここ遠く離れたトルコまでは、日本軍の軍靴《ぐんか》も不名誉な噂《うわさ》も及ばず、幸か不幸か、日本に対する憧《あこが》れと敬意を持ち続ける人々がことのほか多いのだ、きっと。

こそばゆいものの、好意のこもった視線に包まれて過ごすのは悪くない。この間イスタンブールにたどり着くまで張りつめっぱなしだった神経を休ませてあげるにもってこいだ。少し長逗留《とうりゅう》することにしよう。

バルナのイラン人

それでも二週間もすると、トプカピ宮殿や考古学博物館、イスラム博物館も一巡して少し遠出をしたくなった。ガイドブックを開いて地図をながめると、なぜかバルナという地名が目にとまる。ブルガリアの誇る黒海沿岸の保養地。イスタンブールからは三〇〇キロほどだろうか。飛行機も飛んでいる。よし、行ってみるか。

さっそく旅行代理店を訪ねたが、生憎《あいにく》むこう一週間どの便も満席だった。ちょうどシーズン真っ最中。だから空席待ちもびっしりで入り込む余地なく絶望的だという。四軒目か五軒目かの店でも、そう言われ、バルナ行きは縁がなかった、諦《あきら》めようと心に決めて出口に向かおうと立ち上がったその時、

「お嬢さん、バス・ツアーの空席がありましたよ」

社長兼唯一《ゆいいつ》の社員らしいチョビ髭《ひげ》男が叫んだ。

「他ならぬトーゴの国からのお嬢さんだからこそ、特別はからって二泊三日の団体さんに紛れ込めるようにしてあげましょう。料金だって特別だ。往復のバス代、一流リゾー

トホテル二泊に一日三回の食費込みで二〇〇ドル」

ウーン、たしかに安い。安すぎるのがちょっと不安だけれども。

「出発は明朝八時。申し訳ないが、代金は前払いでお願いしますよ」

畳み込むような男の言葉に気圧《けお》されて二〇〇ドル払い込んでしまった。

金を受け取ったときのチョビ髭のシメシメっていう感じのうごめき方がその後どうも気になって、翌朝指定された待ち合わせ場所に半信半疑で赴くと、ちゃんと立派な大型バスが来ているではないか。あの社長、ズル賢そうな眼付きしてたと思ったけど、やっぱりあたしは人を見る眼がないんだわ。疑ってご免なさいと心の中で手を合わせながら、バスに乗り込む。

イチ、ニイ、サンと入り口の階段を上り切った瞬間、ひとみは異様な気配に息をのんだ。いきなり強烈な光線を浴びたようなショック。ようやく自分を取り戻して車内を見回すと、年の頃三〇代から四〇代の髭面《ひげづら》の男ばかり四〇余名が一斉にひとみの顔に集中していた視線をはずしたところだった。「眼光」というほどだから、眼差しというのは光を放つものなのだなあとひとみが思ったのは、ずっと後のことで、この時は、先ほどあのチョビ髭に対して、たとえ想像の上であれ謝ったことを心から後悔した。どうしよう、引き返そうか。でも、せっかく払い込んだ二〇〇ドルがもったいない。

「一番前のその座席はあんたのために空けておいたんだよ、社長に言われて。早く座りな」
と聞き取れないこともない、すさまじくブロークンな英語の威勢のいい声がした。声の源の運転席には、小太りのおっさんが座っている。イスタンブールで慣れ親しんだ例の好意溢れる笑みをたたえて。ひとみは拍子抜けするほどに安心し、指定された座席に腰をおろした。

すぐにバスは発車し、しばらくは窓外の景色に気を取られていたが、やはり気になってくる。何なんだ、この男ばかりの物静かな集団は。どう考えても普通の観光客には見えない。学者の視察旅行風でもない。従業員慰労旅行って感じでもない。ブルガリアもかつてはオスマン・トルコの支配下にあったから、イスラムの聖者ゆかりの場所がバルナにあるのだろうか。たしかに巡礼という何かひたむきな雰囲気がバス内に漂っている感じがしないでもないが。

そうこうするうちにバスは国境を越え、ブルガリアの小さな町の休憩所前でストップし、昼食をとることになった。ひとみに対して同行者一同は度を越すほどに礼儀正しく丁寧で、戸惑ってしまう。食卓につくときも、ひとみが腰掛けるまで誰一人として座ろうとしない。ただスープをすすっているときも、メインの肉を頬張っているときも、八〇余の瞳から発せられる強烈な眼差しを感じ続けて、どうしようもなく居心地が悪かった。ひとみが目線をあげると、注がれていた視線が一斉に、ザザザーッとまるで音を立てるようにはずされるのが分かる。とても気軽に食事中の会話を楽しもうなんて雰囲気ではない。それでも何とか男たちがイランからやって来たことを聞き出せた。

　休憩所から二時間ほどでようやく目的のリゾートホテルに到着した。海辺に面したなかなか瀟洒《しょうしゃ》なホテル。あのチョビ髭社長、意外に良心的じゃないの。ロビーに入ると髭面は寄り集まって何やらワサワサ協議をしていたかと思うと、そのうちの一人がひとみのところに歩み寄ってきて、厳かに告げた。

「コーナー・スイートの部屋が一つありまして、相談の結果、お嬢さんに御利用いただこうということになりました」

　突然の親切な申し出に、今まで彼らを胡散《うさん》臭く思っていた自分が恥ずかしくなってしまった。もちろんせっかくの好意は嬉《うれ》しくお受けした。

　旅の埃《ほこり》を洗い流して、シャワー室から出ると、そのまま海に面したゆったりと大きなバルコニーに出た。部屋は二階にあって、眼下に昼下がりの海水浴場がひろがる。視線を左横方向に走らせて、ひとみは思わずあげそうになった叫び声を、何とか呑《の》み込んだ。今朝バスに乗り込んだ時点から芽生え、深まるばかりだった謎。その謎が目前の光景によって、たちどころに氷解してしまったのである。

　ひとみのいるバルコニーから左方向にゆるやかに内向きの弧を描きながら連なるバルコニーのひとつひとつにツアー・メイトの髭面男たちが陣取り、文字どおり食い入るように水着姿の女たちを見つめていたのである。

イスラム教の中でも、とくに戒律の厳しいシーア派を国教とするイランでは、女は夫以外の男の前で肌はおろか、顔さえも晒《さら》すことを禁じられている。この満たされぬ需要に目をつけて、「水着女を見に行くツアー」を思いついたチョビ髭社長は、やっぱり偉い！　さすが、ヨーロッパとアジアにまたがる国、トルコの商人である。紀州の蜜柑《みかん》を江戸に運んで大儲《おおもう》けした紀伊国屋文左衛門《きのくにやぶんざえもん》など、較《くら》べものにならないくらいスケールが大きいではないか。

希少価値という名の価値

阿刀田高氏に『瓶詰の恋』という好短編がある。たった一度だけの契《ちぎ》りを交わした女のことを、姿かたちも声音も定かに記憶していないのに、女のつけていた不思議な香水の匂《にお》いだけを鮮明に覚えている。どの香水売り場にも見当たらない、その珍しい謎の香りゆえに、男の記憶の中で女はよりいっそう大切でかけがえのない存在になっていく。ところが一年もすると、同じ香水がフランスから大量輸入されるようになり、あちこちに出回り、そこら中の女たちがその香りをまき散らすようになると、男の中の女の存在も途端に影のうすい安っぽいものになってしまう、というあらすじだったと記憶している。

事物そのものにではなく、それが希少であるがために価値を見出《みいだ》してしまう人間の性向そのものを物語のプロットに仕立てた作品だ。

「希少価値」を元手に、作家は小説を書き、商人は金儲けをする。

戒律や法令などで供給が禁じられたり、抑制されることによって、欲望が逆に膨らんでいくという経験は、禁煙を試みた方には十分に馴染みの現象かと思う。

ゴルバチョフが登場したての頃、節酒令を発布したために、かえってウォトカの消費が鰻《うなぎ》登りに上がってしまったという好例もある。この当時流行《はや》った小咄《こばなし》にこんなのがあった。

化粧品売り場にやってきた男が「ハーッ」と息を吐きかけながら、

「こんなオーデコロンありますかねぇ」

とたずねると、店員のほうも「フーッ」と息を吹き付けながら、

「いやあ、申し訳ないがこんなのしかありません」

そうそう、こんなのもあった。

ゴルバチョフが深夜帰宅すると、出迎えたライサが叫んだ。

「まっ、あなた、どうしたの」

トレードマークの額の痣《あざ》が跡形もなく消えていたのだ。

「いやー、今日は生まれ故郷のノボロシヤの連中が訪ねてきて、久しぶりだから一杯やろうということになったんだが。一〇軒回ったレストランどこも、酒を置いてなくてねえ。仕方ないからモスクワ中の酒屋めぐりやったんだが、どこも売り切れだった。結局、薬局で染《し》み抜きを手に入れたんだ」

要するに、この時は酒類ばかりか、あらゆる酒類代替品すなわちアルコールを含有する化粧品類も、自家製ウォトカの原料となる砂糖も軒並み商店の棚から姿を消してしまったものである。砂糖を水に溶かし、そこにイーストを混ぜると発酵して酒になるからだと、ロシア人が教えてくれた。

あの頃、ソビエトで会議などがあって通訳として日本人出席者に同行すると、会議の合間に設けられたコーヒー・ブレイクに、各テーブルに盛られた角砂糖を鷲摑《わしづか》みにしてポケットに突っ込むソ連側要人の姿を何度目撃したことか。

砂糖が店頭から姿を消すと、続いてジャムや菓子が見えなくなった。そのうち歯磨きまでが姿を消した。歯磨き粉にも砂糖が含まれているからだ。

さらに、驚くべきことに、靴磨き用のクリームまでが店頭から消えたのである。靴クリームにはアルコールが使用されている。だから、靴クリームをパンに分厚く塗って置いておくと、靴クリームに含まれるアルコールが万有引力の法則にしたがって少しずつ下りてきてパンに染み込む。十分に染み込んだところで、靴クリームをそぎ落とし、アルコールが染み込んだパンを食うというのだ。

いくらなんでもそれは眉唾《まゆつば》と思われるかも知れないが、これは当時のソ連邦政府機関紙「イズベスチヤ」に掲載された節酒令の波紋に関する学術的論文にあげられた実例である。反アルコール・キャンペーン末期、節酒令が当初狙《ねら》った目的を達せないばかりか、むしろ逆効果で社会と経済の混乱を加速しているから直ちに中止すべきだという論陣が張られ始めた頃のことである。

すでに、この時点でペレストロイカの失敗は約束されてしまったのかも知れない。満たされぬゆえに需要は増長するという人間心理のアルファベットをソ連は熟知しているはずだと思っていたのだが。

というのは、隣国フィンランドの禁酒法のおかげで、それまでのソ連はかなり外貨を稼いでいたのだ。毎週金曜日の夜ともなると、今はサンクト・ペテルブルグという昔の名前に戻った当時はレニングラードというソ連第二の都市に、フィンランドからバスを連ねて「酒のみツアー」の客たちが大挙して押しかけ、日曜夜までの二泊三日を決して安くはない外人専用ホテルの部屋に閉じ籠《こ》もり、ひたすらソ連製のウォトカやコニャックを消費してくれたからだ。

しかもこの「酒のみツアー」は、もう一つの需要と供給を当時のソ連に発見させてくれたと言われている。酒のみ客目当てにフィンランドから娼婦《しょうふ》たちまでが大挙して押しかけ、これ見よがしに稼ぎはじめたのである。

「喉《のど》から手が出るように欲しい大枚の外貨を外国女にかっさらわれるのを、横目でよだれたらして見ている筋合いじゃないわ」

とソ連女たちの一部も奮起し、かくしてソ連邦で法律上の概念として存在しなかった売春婦が生まれたという説さえある。

一方で、供給が過剰で、いつでも手に入るものの価値を人間はなかなか認めたがらない。これは、ヌーディスト・クラブの海水浴場で勃起《ぼっき》している男はいないものだという現象を考えてもそうだ。そのうちへアー写真集なんてのも同じ運命をたどりそうである。

あるとき筆者は日本の最大手の出版社の重役とソ連旅行をしたことがある。その人はかつてシベリアに抑留されていた経験があって、編集者という娑婆《しゃば》での職歴を買われて日本人抑留者たちが発行する日本語新聞の編集をまかされていたそうだ。そのときに寄せられた川柳の中でも傑作で今も忘れられないのがあるという。

オッパイが先に出てくる街の角

たしかにバスト八六センチ以下の服は子供服に範疇《はんちゅう》分けされるロシア女性の胸は、九〇センチ程度で「巨乳」と大騒ぎされる日本女性（しかも戦時中の栄養を考えると、今よりも貧弱な体つきだったに違いない）に比べようもなく豊かである。それを発見したときの日本人捕虜たちの新鮮な驚きと喜びが伝わってくる句である。胸にさらしを巻いて膨らみを押さえるほどに、江戸時代の日本では大きなバストが美意識に反したというのは、本当だろうか、と疑念がわいてくるが、まあ、この件は別の機会に深めることにして、とにかく日本人捕虜の示した感受性にはなかなか感慨深いものがある。

ただし、困ったことに、その出版社の重役さんが、彼にとってはセンチメンタル・ジャーニーとなったその旅行中、新たにロシア人と親しくなるたびにこの川柳を訳して聞かせろとわたしにせがむのである。ロシア人にはまったく受けなかった。訳のせいではない。自分で言うのも変だが、なかなか名訳だったと思う。

突然話は変わるが、一九八五年一一月、ゴルバチョフ・ソ連共産党書記長とレーガン米大統領（ともに当時）が初めてスイスのジュネーブで会談することが決まった時、世界のマスコミ、なかでもとりわけわが国のマスコミは大騒ぎになった。各局は競って一週間も前から取材陣をジュネーブ入りさせ、会談の日が近付いて来るほどに報道は米ソ首脳会談一色に染めあげられていった。

現地入りしたスタッフは、街なかのジュネーブ市民をつかまえては、

「あなたは、レーガン夫人ナンシーとゴルバチョフ夫人ライサとどちらが好きですか」

なんて、ワイドショー顔負けの愚かではあるが罪のない質問をして、お祭り気分を盛り上げていた。どこのテレビ局か忘れてしまったが（たしか、NHKだったような気もするのだが、今となっては確かめようもない）、スイスの人たちは眉をしかめたりせず、結構くそ真面目《まじめ》にこの質問に答えていて、それはそれでなかなか好ましかった。その中で、際《きわ》だった答え方をした年配のおじさんがいた。

「そりゃあ、ライサにきまってらあな。何しろスラブ女はオッパイがデカイからな」

これを聞きながらわたしは、

「ああひょっとしてロシア女性のバストの豊かさは、単に日本女性との比較においてそうであるばかりでなく、国際的に認められた常識なのかもしれない」

と独りごちたのだった。

ここで話をもとに戻すと、先の川柳がロシア人に受けなかった最大の理由は、ロシア人にとって、バストの豊かな女は、したがって「街の角から先に」見えてくるのが「オッパイ」であることが、あまりにも日常的で月並みな現象だというところにある。何しろ美容整形で豊胸術ではなくデカ過ぎるバストを小さくしてくれという希望者のほうが

多い国なのだから。日常性からの脱皮を目指すのが芸術の重要な役割の一つとするならば、この川柳は芸術点をとれていないのである。

このように、ある国で貴重なものが、別の国では無価値に等しいことは多々ある。たとえば日本人が珍重する海胆《うに》。旧ソ連では、一トン一ルーブル以下、ヒトデと同じ価格がついていた。ある文化圏の人間には、「水着女を見る」機会は貴重このうえないのに、別な国では、そんなのに金を払う物好きなどいない、当然無料であるという盲点をついて金儲けをするというのが、冒頭にあげた例である。

この需給のアンバランスに眼をつけて、モノか、需要者である人間を移動させれば、立派に商売が成立する。こんな真実をことさらここで言い立てるまでもなく、人類は気の遠くなるような遥《はる》か昔から、基本的にはこの原理に突き動かされて貿易を行なってきた。

それでも、時折したたかな商人たちのとんでもない眼のつけどころには心底驚かされてしまう。異文化の人々の中に分け入り、潜在的需要や潜在的供給力を発見する精神の自由で逞《たくま》しい、それでいて敏感なあり方にほとほと感心させられるのだ。未知のものに対する好奇心と同時に、時代と場所が変わろうとも人間の本質はそう変わるものではない、という人類の普遍性に対する信頼が根底にあるような気がしてならない。

第2章　言葉が先か概念が先か

シベリアの日本人

先の大戦で日本が敗北した時点で、満州と当時名付けられていた中国東北地域に配備されていた関東軍はソ連軍に投降した。武装解除された六〇万以上の日本人が捕虜としてシベリアや極東に抑留され、そこで強制労働をさせられた歴史がある。スターリンは自国復興に捕虜の労働力を活用しようとしたらしい。日ソ平和条約が締結されないのをいいことに、いつまで経《た》っても抑留者たちを帰国させてくれず、最後の抑留者が母国日本の土を踏んだのは、戦後一〇年以上も経過してからだった。明らかに国際法に違反するこのような処置のもとで、収容所の生活は劣悪過酷を極め、約一割もの人々がロシアの土と化している。

抑留体験者たちは、当然ながらソ連という国について良い印象を持っていない。もちろん、収容所周辺に居住するごく普通のロシアの庶民の人々や、派遣先の工場や工事現場でともに汗水たらして働いたロシア人とは、心温まる交流が無数にあって、日露交流史上の残酷で悲しい頁《ページ》にささやかな光を灯《とも》しているが。

さて抑留者だったNさんは、ソ連に対して非常に神聖な思い出と、感謝の気持ちを抱いて日本に帰国した大変めずらしい人である。二〇歳に満たないときに徴兵されて戦争に動員され、満州で敗戦を迎え、侵入してきたソ連軍に抑留されている。

最近学校におけるいじめが社会問題化しているが、日本の旧軍隊内におけるいじめは年季が入っていて、野間宏の『真空地帯』という戦後日本を代表する文学的名作のテーマにさえなっているし、松本清張の一連の作品にも影をおとしている。清張自身が、戦争末期徴兵されてから、兵舎内で陰湿ないじめにあっていたようだ。

いじめは日本人の体質なんだろうかと悲しくなるが、軍隊という非人間的組織につきものの現象のようである。一九九〇年に雑誌の取材でお会いしたナタリア・コルジャコワさんという「ソ連兵士の母の会」会長は次のように述べた。

「九年あまりも続いたアフガン戦争でソ連軍は一万五〇〇〇人の戦死者を出しているけれど、一九八五年に始まったペレストロイカ以降のたった四年のうちに、戦場ではなく兵舎内で同じ数の兵士が命を奪われているの。その原因は古参兵による新兵いじめ、異民族出身者間の集団リンチ、動員された土木工事での事故死、ソ連の軍隊がどれほど非人間的なところか分かるでしょ」

これは、ゴルバチョフ時代のことだが、ソ連邦が崩壊してエリツィンの時代になっても、依然として古参兵や上官による凄惨《せいさん》な新兵いじめが続いているらしいことについてはベストセラー『もの食う人びと』の「兵士はなぜ死んだのか」において辺見庸氏が書いている。

自殺者が相次ぐほどいじめの犠牲者に事欠かない日本の学校は、どこかで軍隊に通じるのかも知れない。

さて、人並はずれて小柄、つまりチビで気も弱かったNさんは、入隊するなり、この軍隊内のサディズムの格好の餌食《えじき》となった。そして武装解除されソ連軍の捕虜となって収容所生活にはいってからも、小さな日本人社会内のいじめの構造は、そのまま引き継がれた。それが余りにも陰惨であったためか、抑留先の収容所所長だったソ連人A少佐は、

「この少年はこのまま放っとくといじめ殺されてしまう」

と心配して、Nさんを他の日本人収容者から引き離すことにした。他の捕虜たちと起居をともにしないで生活できるよう、自宅のほうの雑役夫になるように計らってくれたのだった。

「地獄で仏に会ったようだ」

心の底からNさんは思った。実際A所長は、Nさんをいじめ地獄から救い出してくれたのだから、感謝の気持ちは並々ならぬものがあった。A少佐は、その頃まだ新婚ホヤホヤで、美しい夫人が同居していた。Nさんは、身を粉にして一生懸命A少佐夫妻に尽くしたという。

N青年の献身的働きぶりに毎日接し、その純朴で真摯《しんし》な人柄を知るにつけ、

「日本がいくら侵略戦争をしたからといって、別にこのめっぽう人のいい働き者のN青

年に責任があるわけではない。本当に一生懸命よく尽くしてくれる。こんな青年に罪はないんだから早く日本に帰してあげよう」

とA所長が思うようになるのに、さして時間はかからなかった。

帰国できるよう奔走し、手続きを取ってくれたばかりではない。ソ連邦の東の端のほうにナホトカという港がある。そこから抑留者は乗船して日本への帰路についたのだが、所長はよほど心配だったのか、N青年が乗船するまで見届けようとわざわざナホトカの港まで付き添って来てくれた。

N青年はA少佐の大きくて分厚い掌《てのひら》を何度も何度も握りしめ、また握り返されながら、言葉に詰まった。両親を早くに失った自分にとって、ああこの人こそ父親のような存在だったなあと、その時思った。そして口には出さなかったけれども、とにかく日本に帰って、なんとしても成功して、この恩に報いようと心に誓った。

奈良のロシア人

帰国後のN青年は、戦後の混乱期を文字どおり馬車馬のように働いて逞《たくま》しく生き抜き、立志伝の主人公のような見事な成功者となる。大阪の市心部に幾つものビルを持ち、幾つもの会社を経営する大変な資産家になりおおせた。

成功者としての満ち足りた生活をおくりながらも、一日とて脳裏を離れないのは、ナホトカの港の桟橋にいつまでもいつまでも立ち尽くしていたA少佐の姿。自分の乗った船が水平線の彼方《かなた》に消えるまで、あの場を離れずに見送ってくれたのだ。自分の命の恩人ともいえるA少佐に何とかお会いしたい、恩返しをしたいと思い続けた。

ところが、ゴルバチョフが登場するまでのソ連という国では、一般市民は個人的目的や個人からの招待ごときで外国に出ることが許されない。なんとか音沙汰《おとさた》だけでもよいから知りたいと八方手を尽くし、A少佐の氏名とかつての収容所の所在地を手がかりに探し出そうと試みるものの、今現在A氏がどこに住み、どんな職業についているのかも定かでない。しかもソ連側の秘密主義と官僚主義が壁のように立ちはだかって絶望的なのであった。

しかしゴルバチョフが登場し、ペレストロイカが始まって以降、Nさんの話に対してソ連側が非常に積極的になってくる。Nさんのお宅は大阪府にあるのだが、大阪のソ連邦総領事館なども本格的に協力してくれる運びとなり、ようやく相手の消息がつかめたのだった。残念なことに恩人の元収容所長さんはすでに亡《な》くなっていた。ただし当時はまだ新婚だった奥さんが、健在とのこと。またA夫婦の一粒種であった息子が成人して結婚し子どもを一人もうけていた。つまり収容所長さんの奥さんと息子一家三人、全部で四人のA少佐ゆかりの人たちが見つかったのだ。

この四人を日本に招待しようと、Nさんは即断した。そしてわたしどもロシア語通訳協会に通訳者紹介の依頼が舞い込んだのだった。聡明《そうめい》でスコブル付きの美女だが、人当たりの良いことでも定評のあるKさんが引き受けることになった。

Kさんが現地に赴いてまずぶったまげたのは、大阪府のある地区に、周囲の人たちに「ソビエト御殿」と呼ばれる、玄関から二階の広間まで赤絨毯《じゅうたん》が敷き詰められているような、すごいお屋敷ができている。その恩人一家をお迎えしたときのためにわざわざNさんが建てた迎賓館らしい。

その上、何人もの使用人がいて、お抱え運転手がいて、通訳のKさんを滞在中の三週間付きっきりでいられるように雇い入れ、大歓迎をしようと待ち構えている。しかも用意した山のようなお土産は大型トラック一台分。それも通常のお土産の常識を思いっきり逸脱していて、トヨタの高級車クラウンとか、あるいはテレビ、ビデオ、カメラのセットとか、戦後高度成長金満日本を象徴するような品目をずらりととり揃《そろ》えた感じなのだ。

もちろん通訳料も、金に糸目はつけない、いくらでも払うという。いや規定料金で結構ですとお断り申し上げると、ある日Nさんが新聞の折込広告にクシャクシャと包んだものを押しつけてきた。

「センセー、お世話になりまんなー。これほんの気持ちですさかいに、ブラウスでも買《こ》うてください」

「いやそんな気を使わないでください。十分にいただいてますから」

「そないなこと言わんと」

しばらく押し問答の末、根負けしたKさんは包みを受け取った。後で自室に戻ってからあけてみると、ピン札で三〇万円。東京は雇われ経営者ばかりだけれど、関西方面はオーナー社長が多い。可処分所得も桁《けた》違いなんですね。

さて、Aさん一家はその豪華絢爛《けんらん》たる御殿の中で過ごすだけでなく、日本各地の観光名所を回ることになる。当時完成したばかりの瀬戸の大橋を見に行ったり、京都、奈良の神社仏閣巡りをしたりする。ちょうど奈良にさしかかったとき、

「そうそう、この辺な、うちがやってるホテルがおますさかいに、ちょうどええがな。そこに泊まりまひょ」

とNさん。急遽《きゅうきょ》予定を変更してそのホテルに宿泊することになった。

そのホテルがラブホテルだったんですね。当時のソ連には、まだラブホテルというものは存在しない。ラブホテルって、ちなみに中国語でなんというか知ってますか。「色情旅館」。ホンコンなどに行くと、そんな看板がちらほら眼に止まります。まあ、それはさておいて、通訳のKさんは、ここで迷った。ラブホテルとはいかなるものか説明訳をするという手もあるにはある。でも、純朴そのものっていう感じのAさん一家の人々に、そこまで説明すると、かえって気を悪くするのではないか。とあれこれ思い悩んだ

挙げ句、結局単なる「ホテル」ってことにした。

ラブホテルといっても、それは桁外れに豪華な施設で、一部屋の内装に四〇〇〇万円ほど投資した代物《しろもの》だった。回転が早いものだから、それでもモトが取れるんですね。各部屋の調度、それぞれ違うつくりになっていて、たとえばルネッサンス風の部屋とか、ベッドがヨット風になっているものとか。それを見てAさん一家はため息をつくほど驚き、喜んだ。なかでも孫息子は大騒ぎ、キャーキャーはしゃぎまわる。何しろベッドが動いたり、回転したりするし、天井には鏡がついているし。

「なんと素晴らしいホテルだ。これはまさに日本にしかない。これこそ二一世紀のホテルだろう」

というふうに感嘆し、手放しに礼賛《らいさん》する。若夫婦はビデオカメラで各部屋を撮影しまくったのだった。

その日は全室開放で、どれでも気に入ったお部屋に寝てくださいということになり、おばあちゃんと孫息子は、うさぎちゃんが手をひらいているベッドがあるお伽話《とぎばなし》仕様の部屋に泊まった。若夫婦はスポーツカー風のベッドのあるカーレース仕様の部屋に、通訳のKさんは、トロピカル風の部屋に一人寂しく泊まったそうだ。

そうこうするうちに瞬《また》く間に三週間が経過し、Aさん一家は帰国の途についた。まだ関西国際空港が完成する以前のこと、成田空港を利用しなくてはならないので、東京で二泊することになった。

六本木と虎《とら》ノ門《もん》の中間ぐらいのところにバブルのプロローグみたいな感じで開発されたアークヒルズという建物群がある。その一角の全日空ホテルが宿泊先に選ばれた。ロビーの天井が何階分もぶち抜きになっていて、ガラス張りの筒の中をカプセルのようにエレベーターが上下する、なかなか近代的で美しいホテルだ。そのホテルのロビーに足を踏み入れ、エスカレーターを昇りながら、A家の若奥さんがつぶやいた。

「うーん、まあこれがきっと日本の普通のホテルなんでしょうね。やっぱりNさんのところのホテルと比べると数段落ちるわ」

純粋概念は存在するのか

突如もったいぶった言い方になって申し訳ないが、右の例からお分かりいただけるように、「言葉が先か概念が先か」という言語学と哲学とコミュニケーション論の根本に関わる、すなわち通訳・翻訳論上の一大論争に関わる問題がここには提示されている。ラブホテルという概念の存在しない意識にはラブホテルという言葉も存在しない。またラブホテルという言葉の存在しない意識にはラブホテルという概念も存在しない。

一方で、われわれは心に生じる感情や頭に浮かぶ考えを言葉で表現しようとしてなかなか表現しきれないもどかしさを感じたりすることがあるように、たしかに言葉に先行する形で何か液体のような気体のようなものが存在するような感触を経験している。言葉に先行するそれは、イメージなのか。

言葉ではなく、イメージでもって思考を組み立てていく才能にずば抜けた人々がいるのは事実だ。たとえば、漫画家や映画やテレビの映像製作者たちが、そうだ。優れた映像作家の手にかかると、一つの映像が、そこには示されてないたくさんの豊かな映像を見ている者の心の中に喚起する場合がある。しかし、映像が言葉ほどの抽象力を持ち得るのだろうか。

たとえば「梅干し」という言葉は実に様々な梅干しを集約している。肉厚の薄茶色のから、小粒でコリコリと固く青っぽいのも、シソのたっぷり入った赤いのも、とにかく全《すべ》ての梅干しを表現し得ている上に、シワシワの婆《ばあ》さんまで連想させる。一つの映像で一瞬にして、そういう処理が可能だろうか。

聴覚障害者の言語である手話に関する良き案内書『手話の世界へ』(晶文社)の中で、著者のオリバー・サックスは、手話が優れた、ときには音声言語よりも優れた抽象能力を持っていると指摘する。視力によって認知される手話は、一種のイメージと呼べないこともないが、それはすでに高度に記号化された約束事になっている。つまり言葉としか名付けようのないものになっているのである。絵としてのイメージが右脳で処理されるのに対して記号となったイメージが左脳で処理されていることも、それを裏付けている。

先日テレビをつけていたら、ある小学校で、低学年の視力障害児のために、動物園の職員が動物の剥製《はくせい》を作ったという話が放映されていた。動物を眼で見ることができない子どもたちが、剥製に触って姿形を知ることができるようにという配慮からである。そして、先天的に視力に恵まれないその子どもたちが、並外れて優れた言語駆使能力を持つことに驚き、感動した。剥製に触りながら、その子どもたちが感触によって捉《とら》えた形状や性質を実に的確に言葉によって表現していくのだが、同年輩の子どもたちよりも明らかに秀《ひい》でた語彙《ごい》の豊かさと文構造の論理性には、ただただ舌を巻いた。

そして、先天的視力障害児の場合は、そもそもイメージという方法に頼る記憶や概念の結晶化はあり得ないのではと、思い至ったのである。では、言葉に先行する何かとは、一体何なのだ。

実は、職業柄ロシア語と日本語の間を始終往復運動しているときの直感からいうと、何か液体のような気体のようなものをロシア語という器から日本語という器に、あるいはその逆に移し換えているような感触が、やはりあるのだ。器というのは、もちろん喩《たと》えで、言葉のこと。ロシア語以外の同時通訳仲間たちも同じような感触を持っていると常々口にしている。同時通訳者たちが共通して抱くこの感触を、まことに的確に表現しているのが、カトー・ロンブさんである。同時通訳者にとっては、仰ぎ見るような大先輩にしてスーパーウーマン、英、仏、独、露、ハンガリーという五か国語の同時通訳者として活躍した人だ。

はるかに重要な役割を演ずるのは、思想が、（ああ、専門家の方々が、わたしのこの心理学、大脳生理学、および精神医学の卑俗化を、お許し下さいますように！）原発言語の粘着性の抱擁からすり抜けながら、目標言語の語彙的、形態的、統辞《シンタックス》的、音韻的、文体的形式を大わらわで着込んでいくことを助けるような技能です。

（拙訳『わたしの外国語学習法』ちくま学芸文庫）

カトーさんは、「思想」という語を用いているが、明らかにいずれかの言語で表現される前に、どの言語にも依存しないような一種の概念の存在を認めている。

そして、面白いことに、自動翻訳機開発の試行錯誤の末、今現在もっとも先進的な翻訳システムとして注目されているのが、インターリンガ方式という翻訳プロセスモデルなのだが、これが、カトーさんが経験的直感的に捉えた訳のプロセスに酷似しているのである。つまり、どの言語にも依存しないような概念の存在を認めているのである。

可能な限り、入力文をいろいろのレベルで解析し、最後にどの言語にも依存しないような意味（概念）の記述を行なう。そして、その記述された意味から、別の言語の文を作り出そう（生成しよう）というものである。この方式は、一つの言語の文を解析すれば、そこから複数の言語の文を生成することも出来るが、現状では、意味や概念の解析・記述、さらにそこから文を生成する過程の研究が十分になされておらず、緊急の課題である。

（草薙裕《くさなぎゆたか》「機械翻訳」、『日本語百科大事典』大修館書店）

はたしてこの液体のような気体のような、何語にも属さない純粋概念なるものが存在するのだろうか。

右のように現在開発中のインターリンガ方式という夢の自動翻訳機は、まさにこの純粋概念が言葉に先行する形で存在することを前提として進められている。しかしどうやら前途多難のようで、幸か不幸か、当分わたしたち、つまり人間の通訳・翻訳者は失業しないみたい。と随分しおらしい言い方をしたが、実はきっと失敗するだろうという妙な自信がわたしにはある。言葉と概念は、そう簡単に切り離せないぞ、という確信を裏付ける事例がゴマンとあるのだ。そのひとつが前に挙げた「ラブホテル」をめぐる物語である。

つまり、他人とのコミュニケーションにおいてわれわれが用いる言葉のコードと頭の中で思索をめぐらし整理をするための概念のコードとの間には、さほど距離がないのではないか。概念を持たない言葉は音あるいは音を表す記号に過ぎない。未知の外国語や自国語であれ意味不明の言葉は、われわれにとっては単なる音の羅列。ハルマゲドンという音の連なりが言葉として把握できるようになったのは「最終戦争」というその概念を知ったごく最近のことではないか。一方で言葉という形をとらない概念は他人に伝えることはおろか、自分自身にとってさえ把握不可能だ。

というわけで概念と言葉が表裏一体不可分なのは自明の理と言い切りたいところだが、はるかはるか遠い昔から概念が言葉に先行するのか、言葉が概念に先行するのかという議論はある。もっともこの論争は「卵が先か鶏が先か」みたいな果てしない合わせ鏡地獄にはまり込むこと必至なので、君子危うきに近寄らず、まして小人のわたしにとってなるべく敬遠したいテーマなのだが。

極めて身近な例。固形排泄《はいせつ》物一つとっても、大便、便、糞《ふん》、クソ、大きい方、大、うんこ、うんちとたちどころに同義語が浮かぶ。純粋概念になると、この言い方の微妙な違いはことごとく捨象されてしまうのか。それではわれわれの思索や感情はひどく貧しいものになってしまう。いや、純粋概念においてもこの全ての表現の違いに対応する単位があるとでもいうのだろうか。百歩譲って仮にそうだとして、限られた記憶容量を随分無駄に使っていることになる。

麻原教祖の読心術

などとどうどうめぐりを繰り返しながらツラツラ考えていたら、純粋概念の存在を信じて疑わない教団、オウム真理教が現れた。教団がロシア向け放送用に作成した三〇分番組を三本も見る機会があった。教義を広め信者を獲得するための講義シリーズもの。在京テレビ局に通訳を頼まれたためだが、これがなかなか巧《うま》くできていて、教団がロシアでまたたくまに勢力を拡大していった原因が分かるような気がした。オカルトと科学が絶妙にミックスされていて、ロシア人の神秘主義好みと科学技術崇拝、それに連邦崩壊以後の社会の先行きに不安で不安で仕方がない心理状況に見事にマッチしているのである。

それによると、我々のような汚《けが》れ多い凡人の覚醒《かくせい》時の脳波の波形はぶれの激しいガンマ波やベータ波であるが、修行をつむほどに覚醒時においてさえ、凡人の睡眠時、夢を見ている最中に観察される脳波であるテータ波や、夢を見ない深い眠りの最中に観察されるデルタ波を維持することが可能になる。ここまでは禅僧の悟りの境地にて達成されるという。麻原教祖のような最終解脱《げだっしゃ》者ともなると、死者の脳波に等しい平らな脳波を保つことができる。これは煩悩《ぼんのう》や業《ごう》から完全に解放された理想的な脳の状態で、最高の力を発揮する。たとえば、麻原教祖は、意思の力によって物や人を自由自在に操る（世の中では超能力と呼ばれるらしいが）ことができるし、読心術さえ心得ている。テレパシーなどという代物は、読心術への第一ステップに過ぎないそうだ。麻原教祖のような、理想的な形状をした脳波ともなると、たとえば言葉として発せられる前に相手の心に生じた概念を捉えてしまうらしい。心に生じた思いや頭に浮かんだ考えは言葉に転化される前に、その人の脳波の形状を変化させ、その変化は電気ポテンシャルの変化となり、凡人には察知されないものの、最終解脱者の平らな脳波はまるで鏡のようにその変化を映し出すからだという。というわけで、世界中いかなる言語の担《にな》い手であろうとも、どんなに遠方にいる相手であろうと、最終解脱者同士ならば言葉を介さずに意思疎通《そつう》をはかれるそうだ。つまり、通訳は不要になるわけ。

ではなぜロシアを訪問した麻原教祖は通訳を介してロシア人と話したのか。相手は最終解脱していないから、麻原の発言をロシア語訳する必要はあるだろう。でも、ロシア人の発言は、和訳しなくてもいいではないか。たとえば、モスクワ大学で行われた麻原の講演会で、会場からの質問を、なぜ麻原に通訳したのか。

「わたしがグルに会場の質問を通訳してさしあげると、驚くべきことがおこりました」と、オウム宣伝ビデオの中で松原某なる信者は、ここで勿体《もったい》ぶって散々間をおいた上で、こう述べた。

「わたしが訳した内容をグルは訳す前から分かっていたと言ったのです。わたしが正しく訳すかどうか確かめるために、わざわざ通訳させているのだと」

それにしても、では上祐《じょうゆう》氏は教祖と意思疎通をはかるのに電話を用いているのだから、まだ最終解脱までは到達していないんですね。

至福の境地である最終解脱者のレベルに到達したかどうかは脳波の形状となって表れるから、客観的に計測可能だというところが科学者を多数擁するオウムの面目躍如たるところ。この理想的な教祖の脳波と同じ波形の脳波を獲得するためにこそ、様々な苦しい修行のノウハウがあり、イニシエーションがあり、教祖と同じ脳波を送り込む電極のいっぱい付いたヘッドギアがあり（一式一〇〇万円でしたっけ）、色々な飲物や薬物があるらしい。

また、恋するもの同士は脳波の周波数が類似してくると説く。番組では恋愛中の凡人同士の脳波の波形が次第に似通ってくる例を示し、次に修行レベルの低い信者が高い信者に恋愛感情を抱いた場合に、次第に前者の脳波が後者の理想的な形状に近付いてくる例が示されていた。だから、最終解脱の有効なノウハウの一つとして、なるべく解脱レベルの高い人に憧《あこが》れ恋することが近道だと解いている。上祐氏の恋人の都沢さんが上祐氏の後を追って入信しながら、しばらくして心酔の対象を麻原教祖に切り替えた理由が、これで理解できたような。

それにしても気になる。大便、便、糞、クソ、大きい方、大、うんこ、うんちの微妙なニュアンスの違いも脳波の形状に反映するのだろうか。それとも、そんな雑念や煩悩に捕らわれるのは、悪業（カルマ）から解放されていないせいか。

第3章　言葉の呪縛力《じゅばくりょく》

東京の福島県人

「ったくもう、許せない。いまだに思い出すとムシャクシャしてくるわ」

友人の英語通訳S子は、美しい顔を悔しそうに歪《ゆが》めるのだった。

一九九四年、暮れも押しつまった頃、スーパーの店頭で山菜取り合わせの袋詰めを見つけたS子は、ラベルに販売元住所が福島県とあるのを確かめた。

「そうそう、福島県は山菜の産地だったわ」

勝手に連想に翼がはえて自然に心も弾み、

「シメシメ、今晩は山菜蕎麦《そば》に決まり！」

と喜び勇んで買い込んだ。

蕎麦好き、山菜好きの家族一同には思ったとおり大好評であった。長男だけ帰りが遅いので、山菜もその分だけ選り分けてとっておく。

ようやく帰ってきた息子用に蕎麦を湯がき、汁を温め、残りの山菜をビニール袋から取り出した途端、S子は悲鳴をあげて箸《はし》と袋を投げだした。黒々とした空豆大のかたまりは、まごうかたなきゴキブリの胴体である。あるはずの手足はもげているから、さっき食べてしまったに違いない。ウッとこみ上げてきて、胃の中のものを戻してしまった。落ち着きを取り戻すと、今度はムクムクと怒りがこみ上げてくる。良き家庭人のS子は、夫や子どもたちまで同じ不快感と憤怒《ふんぬ》の渦に巻き込むのは可哀想《かわいそう》と、自分の胸一つに納めようとするものだから、息苦しいほどに悔しくなる。一晩中一睡もできないほどだった。翌朝家族を会社や学校に送り出すや、袋に記された番号に電話をして、憤《いきどお》りをぶつけた。

「ああ奥さん、証拠のゴキブリと袋と、ちゃーんとまだあるんだろね。うん、ある？　しっかりとっといてね。今すぐ行ぐっから」

福島訛《なま》りの声の対応は、思いの他迅速である。こういう苦情を予《あらかじ》め見越していたようでさえある、とは後々のS子の感想。

それから二時間もたっただろうか、門の辺りで車の止まる音がした。小窓から覗《のぞ》いてみると、豪勢な外車から鼠色《ねずみいろ》の作業服を着た年格好五〇過ぎぐらいの大柄な男がそそくさと出てきた。

「ウーン外車と作業服か」

意外な組み合わせに妙に感心していると、玄関のベルが鳴ったのだった。

「ヨーシ、戦闘開始だ！」

久しぶりに武者震いをしながら、扉を開けるや、

「いやー、奥さん！　悪かったねえ。厭《いや》だったたろうねえ。気持ち悪かっただろうねえ」

間髪入れずに、けたたましい濁声《だみごえ》が迫ってくる。

敵が折り目正しく地味な背広にネクタイなどキッチリしめて、定石どおりに菓子折など持参して慇懃《いんぎん》に振る舞ったのなら、用意していた抗議の言葉が口をついて出てきたろうのに、すっかり気勢をそがれてしまった。

「これ、このとおり」

と作業服は殊勝に謝ってみせ、同時通訳仲間でも頭と口の回転では右に出るもの無しとうたわれたS子が、あっけにとられて声を失っているのをいいことに、勝手にまくしたてた。

「だどもねえ、奥さん。無理もないのよ。あの山菜はねえ、中国からドラム缶詰めで来るの。中国地方じゃなくて、大陸のほうの中国よ。ベルトコンベアにドラム缶の中のものを開けて、まず、その上を何度も強力な磁石を走らせるの。なぜだかわかるかね」

すっかり相手のペースに乗せられて首を横にふるS子に対して、おじさんは勿体《もったい》つけて間を置くと、先を続けた。

「釘《くぎ》やら、ブリキの端っ切れやら、錆《さ》びた工具やら、いろんな鉄クズが山ほど吸い寄せられて出てくるのよ。次に強力な扇風機を当てるのね。なぜだか分かるかね」

またまた首を左右にふるしかないS子の顔を得意気に見やりながら、おじさんは再び間をおくと、ちっこい目の奥をキラキラ輝かせながら言うのだった。

「したらば、奥さん、出てくるわ、出てくるわ！　髪の毛とか、藁《わら》とか……そんでね……」

耳を疑いたくなるような話の展開に、S子は知らず知らずのうちに、憤りも忘れ好奇心の化身となって聞き入っているのだった。

「次がパートのおばちゃんたちの出番。おばちゃんたちの目と手先で、選り分けていくのね。ここでまた出てくるのよ、ビラビラしたのとか、ヌルヌルしたのとか、色々。ゴキブリなんていいほうだよ、奥さん。ヌルヌルしたのなんか、イヤでしょ！」

「ウンウン」

などと悔しいながらうなずいてしまうS子。

「だからして、ゴキブリが入ってるっなんて無理もないのよ。許してね。そんで例のゴキブリとビニール袋、とっといたね」

「ハイ」

なぜか素直にS子が差し出した証拠の品をサッと抱え込むと、濁声おやじは、

「んだば、奥さん、ホントに済まなかったね。これ、ほんのお詫《わ》びの品だけど。んだばね」

ニターッと微笑《ほほえ》むと、包装紙にくるまれたものをポンと下駄箱の上に置いて扉の向こうに消えてしまったのである。

「ちょ、ちょっと待ってよ……」

我に返って追っかけてみたものの、外車は音をたてて走り去った後だった。

「まさか、これ……」

イヤな予感がして下駄箱の上の包装紙を破ると、案の定、山菜取り合わせビニール袋詰めの新品。

「あんな話聞かされた後で、食べられるわけないじゃないの。すぐに販売元に送り返してやったわ」

「料金受取人払いで？」

「エッ、こちら持ち」

心なしか、顔が青ざめた。

「わたしも馬鹿《ばか》ね、おめでたいにもほどがあるわね。クッヤシイー！」

みるみる興奮してきたS子は、気炎をあげた。

「こうなったら、今に吠《ほ》え面《づら》かくなってものだわ。こうして語り部となって、会う人会う人に販売元・福島県の山菜取り合わせ袋詰めの『宣伝』して回ってやる！」

この話を聞かされて以来、蕎麦屋に行っても、山菜蕎麦だけは注文できなくなってしまった。

このあいだ東京近県にドライブした際、国道沿いの店に山菜蕎麦の看板がデカデカと掲げてあるものだから、つい気になって店の裏のほうに回ってみると、あるわあるわ。

話に聞いたドラム缶の錆び付いたのが、ビニールシートをかぶせられて野ざらしになっていた。店は満席。知らぬが仏、客は美味《うま》そうに山菜蕎麦を食っている。

言葉は保守的である

以後わたしも、S子のお先棒を担《かつ》ぐようになった。しかし、ここでこの話を持ちだしたのは、無論それだけが目的ではない。

思えば、「販売元：福島県」というのは、決して虚偽ではないのだ。買うほうが勝手に、

「生産地も福島県だろう」

と思い込んでしまうだけのこと。

この勝手な連想は、過去の度重なる経験によって意識の中に形成された一種のパターンによる。ベルの音とともに餌《えさ》を与えられ続けていた犬が、餌がなくともベルの音だけで唾液《だえき》を出すようになるという、パブロフの条件反射みたいなもんである。梅干しで何度も酸《す》っぱい思いを経験したわれわれも、「梅干し」という言葉を聞いただけで唾液が出てくるではないか。

生産地と販売元は近接しているはずだという、先祖代々遠い過去から蓄積されてきた経験が、S子や多くの消費者の、販売元にとっては有り難い勝手な誤解を生むのである。

販売元は福島県でも、産地はアフリカだったり、中国だったり、オーストラリアだったりと実に様々な可能性を秘めているのに、意識の習慣化した自動反応装置は、そういう可能性を一切排除してしまうのである。産業の空洞化に意識がついて行けないのである。

エッラソーなことを述べているが、むかし宮城県の松島で龍の落とし子のキーホルダーをお土産にたくさん買い込んで、東京に戻ってから説明書を読んで地団太《たつ》を踏んだことがある。製造元の住所が東京都品川区などと「良心的に」記されているのだもの。でも、海辺の観光地で龍の落とし子のみやげ物があったら、大方の客は自動的に地元のものだと思い込んでしまうだろうことを十分に計算に入れて売られていたことだけは確かである。すくなくともわたしは、そういうオメデタイ観光客の一人だった。

つい最近もベルギーから買ってきたみやげ物が台湾製であることに帰国後気がついて、相手に渡せなくなってしまった。

どうも気を抜くと、意識という代物《しろもの》は、それも年をとるほどにそうなのだが、ついつい馴染《なじ》みの可能性に飛びついて、未知の可能性を排除してしまう傾向がある。そして、この人間の意識の保守的特性が、もっとも著しくあらわれるのが言葉なのではないだろうか。

言葉そのものが、そもそも保守的であることを宿命付けられた存在である。われわれが過去だけでなく現在と将来について語るときに用いる言葉は、その語彙《ごい》も文体も文法も、遠い遠い過去にできたものなのである。だから事物を命名した時点の言語共同体の価値観をいやがおうでも引きずっているのである。

英語でも仏語でも女性を表す言葉を結婚しているかどうかで使い分けているのにらない（Miss & Mrs., madame & mademoiselle）、男性を表すときには、そんなことにこだわ(Mister & monsieur)。日本語には、そういう習慣がないが、有夫の女性は歯を黒く塗るという風習を持っていたから、言語のほうで記号化しなくともよかったのだろう。お歯黒という風習はとっくの昔に無くなってしまったのに、Miss & Mrs., madame & mademoiselle という言い分け習慣は、今世紀の七〇年代から八〇年代にかけてウーマン・リブ旋風が吹き荒れた後も、頑固に言語習慣に息づいている。ミズなんて言い方は、結局行き渡らなかった。

そして、日本語には学術や芸術にたずさわる職業を表す言葉に未《いま》だに、「閨秀《けいしゅう》」とか「女流」とかいう余計な冠をかぶせる風習が残っている。女性の作家や画家や詩人が、次から次と世に出てきて活躍し、男女雇用機会均等法が国会を通過して一〇年以上経《た》った今現在にいたるも、そうなのである。

こういう言葉の保守的性格に、時々一部の団体や個人が業《ごう》を煮やして、ヒステリックにわめきまわることがある。

「この言い方は間違ってる。正しくは、こう表現すべきだ云々《うんぬん》」

そして、そんな風に高圧的に出られると滅法弱い行政当局などが、

「御説ごもっとも」

と賛同し、「正しい言い方」の普及につとめたりする。「誤った言い方」の駆逐に金と人を投入したりする。ところが、圧倒的大多数の場合、それは徒労に終わるのである。

ソ連邦崩壊前後、ルーブルの通貨としての信用は地に落ち、タクシーなどでは、タバコのマルボロが貨幣として通用していた。一五分以内はマルボロ一箱、一時間貸し切りは、三箱という具合だ。運転手さんが非喫煙者であろうとなかろうと、そこは通貨となっていたのだから関係ない。おそらく背後にマルボロを必要な品と交換できる市場が形成されていたものと思われる。通貨であるからして、ダンヒルでは駄目、マルボロでもハッカ入りでは駄目であった。

言葉は貨幣と同様、社会の圧倒的多数の人々に通用するということが、存在価値となるのである。どんなに文法的に非の打ちどころがなく、社会的公正さの観点から見て完全無欠であれ、どんなに為政者が権力を笠《かさ》に着て強制しようとしても、またどんなに偉い学者が権威を振りかざして、その表現の妥当さを声高に主張しても、人々が使ってくれなくては言葉として定着しない。このあたりは、小気味良いほど単純に民主主義的。

まあ、そんなこともあって、どの言語にも生ける化石、シーラカンスみたいな「保守

的」言葉が根強く居残っていて、なかなか払拭《ふっしょく》されないでいる。

そのうえ言葉は、誕生した遠い過去から現在に至るまでの間に、その言葉の担《にな》い手である言語共同体によって蓄積されてきた、その言葉にまつわる諸々《もろもろ》の経験に基づくイメージや観念を張り付かせてしまっている。というのも言葉は事物そのものではなく、あくまでも事物を表す記号に過ぎない。だから、われわれは言葉を読み取ったり、聞き取ったりするときに、意識のほうは、その言葉が表そうとする概念やイメージを喚起するようになっている。その喚起されるイメージが習慣化してしまうのである。

ひとたび宗教法人格を獲得してしまった団体に対して、どれだけ警察が歯がゆいほどに臆病《おくびょう》であったかは記憶に新しい。「坂本弁護士一家拉致《らち》事件」でも、「松本サリン事件」でも、「目黒公証役場事務長拉致事件」でも、「地下鉄サリン事件」でも、どんなに状況証拠が真っ黒でも、「宗教弾圧」という言葉を恐れて、世界屈指の優秀さを誇るはずの日本の警察が、しばらくの間まるで金縛り状態であった。捜査の対象となるのは、宗教活動ではなくて、いかなる法人にも個人にも許されない犯罪行為に対してなのに、「宗教弾圧」という言葉ひとつで、不思議なことに、まるで魔法のように本質がめくらましにあってしまうのである。

先の戦争遂行のための基本的イデオロギーとなった国家神道《しんとう》を絶対化するなかで、国家当局は、その他の宗教を次々と弾圧していった。そのような思想統制のなかでこそ、近隣アジア諸国と日本に未曾有《みぞう》の破壊と惨禍をもたらした愚かな戦争に国民を動員し得たのだ。わが国のそう遠くない過去の、そういう苦い経験と、それに対する反省が、憲法にうたわれた思想・信条・信仰の自由の背景にあるのは、周知のとおり。「宗教弾圧」といわれた途端に大本《おおもと》教をはじめとする国家神道と相容《あいい》れない各教団に対する残酷で取り返しのつかない弾圧と、それに続く暗黒の時代が連想されて、マスコミも警察も、当初はかなり矛先が鈍ってしまったのである。

愚かな戦前戦中の歴史の、国家神道をめぐるもう一つの深刻な教訓は、政教一致の恐ろしさである。政治や政策の善し悪《よあ》しを、客観的に理性的に判断しようとするのではなく、「鰯《いわし》の頭も信心から」で、教祖や教義の言葉がそのまま法律になってしまう精神状態に陥り易《やす》い信徒集団は、思えば実に安易な動員が可能な票田である。だから、宗教団体は政治権力にも政治にもコミットすべきではない。これは、人類が到達し得た智恵《ちえ》の一つである。

国家を標榜《ひょうぼう》したオウム教団の事件で、政教一致の身の毛もよだつような怖さは再確認されたはずである。しかし、少なくない政党が、宗教団体からの安易な集票に頼っている現状では、本物の「政教分離」は、宗教法人法の抜本的な改正とともに夢のまた夢かも知れない。

名前の持つ呪術《じゆじゆつ》的魔力

「名は体を成す」などと言われている。「名前負け」なんて言い方があるが、これなど、本来人間の本質は名前どおりであって当然という考え方が裏にある。

「学」とか「稔《みのる》」とか「悟」とか「美智子」とか「優子」とか、人の名前には親の切ない期待と希望が託されているものだし、浮き沈みの激しい芸能人は、幸運を求めて芸名を変える。もちろん、学君は学ばず、稔君は稔らず、悟君は悟らず、美智子さんは美しくもなく浅智恵ぐらいしか無く、優子さんはひどく意地悪だったりする。それでも、その昔は姓名判断が学問扱いされた時期があったほどに、いや今でさえ姓名判断術が飯の種になるほどに、人間の名前がその運命や性格に及ぼす影響力には、侮《あなど》りがたいものがあると考えられている。

これがあながち馬鹿にできないのである。この世に生を受けてから、とくに自我を形成するまでの時期、すなわち最も吸収力旺盛《おうせい》な時期、大方の人は、数限りなくその名前で呼ばれ続ける。だから名前は、何らかの暗示を意識に与え、反発をも含め何らかの反応を意識に呼び起こすのではないだろうか。そして、それがその人の性格や行動様式に何らかの作用を及ぼすのではないだろうか。

こういう名前の持つ拘束力は、何も人間の名前に限ったことではない。湾岸戦争の折には、悪の権化《ごんげ》サダム・フセイン率いるイラクを征伐する多国籍軍に憲法の枷《かせ》ゆえ馳《は》せ参じることができない後ろめたさを穴埋めするために、「国際貢献」という政府の唱えるお題目のもとに、日本国民は先進国中最大の拠出金という名のお布施《ふせ》を絞り取られてしまった。しかし、落ち着いて事態の本質を見極めるほどに、あの戦争が、国連＝絶対正義対イラク＝絶対悪という単純な図式では、到底割り切れない代物であったことは、今では多くの人々が気付いている。それは、イラクの使用した武器の九〇％以上が、国連安全保障理事会の常任理事国である、アメリカ、当時のソ連、フランス、イギリス、中国からの輸入品であったこと一つとっても明白である。しかし、「国際貢献」という美名は、事の本質を見え難くしてしまった。

同じことは、ついこのあいだマスコミと政界を巻き込んだ「政治改革」という聞き心地のよいキャッチフレーズにも言える。政界浄化と政治プロセスがガラス張りになることを求める国民の悲願を逆手にとって、選挙制度の「改正」に矮小化《わいしょう》してしまった。二〇％の得票で八〇％の議席を占めてしまうことを可能にする小選挙区制の導入は、死票を激増させ、少数党を淘汰《とうた》してしまう。別名マジョリティー・システム。多数派のための選挙制度である。民主主義の観点からすると、明らかに後退である。マイノリティーの政治的発言を封じてしまうことがいかに危険かは、小選挙区制のもとで二大政党制が長く続くアメリカで、出口を失ったマイノリティーの絶望的な不満がロス暴動のような破壊的な形をとることを見ても分かる。

最近、日本のマスコミと世論がコロリと騙《だま》されていたのが、「核不拡散条約」。北朝鮮ひとりが悪者にされていたけれど、考えれば考えるほど変な話である。たしかに、朝鮮民主主義人民共和国は、まるごと一つの国家が閉鎖的な新興宗教団体になったような、かなり異質な国である。何をしでかすか分からない、いわゆる「読みにくい」国だ。

しかし北朝鮮の原子炉で核兵器に転用可能な核物質が製造可能か否《いな》か、国際原子力機関の査察を入れろ、いや入れないなどと大騒ぎしていたけれど、隣の韓国にはとうの昔に米軍の核兵器が配備されている。実は、「核兵器を持たない、つくらない、持ち込まない」なる非核三原則を国是とする日本の米軍基地には、とうの昔に核兵器が持ち込まれているという根強い噂《うわさ》の真偽について、「軍事機密」をたてにアメリカ側は一度も否定も肯定もしていないことだってゆゆしい問題だ。どうやら「非武装」はフィクションだし、アメリカの「核」の傘下《さんか》にあっての「非核」は、偽善のお手本みたいなものだが。それは、フランスの核実験に対する日本政府の歯切れの悪さという形で、ちゃんと表われている。

それに、核兵器によって他国を攻撃した実績を持つのは、人類史上米国独りだってことを、なぜこうも簡単に失念してしまうのだろう、日本のマスコミも世論も。広島、長崎、ビキニと三度も地獄の辛酸をなめさせられながら、いまだに懲《こ》りずにアメリカのお先棒担いで、北朝鮮の原子炉について危惧《きぐ》する云々という前に、国際原子力機関の核査察ってのが、なぜか核保有五か国（国連安保理常任理事国でもある）には決して行われない不思議と不公平についてまともに論じる報道機関がないのだから情けない。「核不拡散条約」もしかり。核保有五か国の核軍縮は手付かずのまま、というよりも核開発と核実験を野放しにしたまま、その他の国々に核を保有することを禁ずる条約であることを、なぜマスコミは正面切って取り上げないのだろう。分かっていないとしたら、正真正銘のアホだし、分かっていても取り上げないのなら、そこに何らかの利害が絡《から》んでいるのか、あるいは危険すぎることなのか。いずれにせよ、不誠実であるか臆病であるかのどちらかである。

それにしても、ユーゴの「悪者」セルビア勢とその後盾と想定される新ユーゴ連邦に対しては、国際社会は禁輸措置をとって石油さえ止めたのに、フランスの相次ぐ核実験には、ワインと香水の非売運動ぐらい（これはこれでないよりマシだけど）でお茶を濁すしかないとは、ああホントについていけない。

心の中に生じたモヤモヤとした得体の知れない屈託を「悲しい」とか「切ない」とか「餃子《ぎょうざ》が食べたい」という言葉によって言い当てることによって、われわれは自己の感情を突き放して客観視する契機を得る。どんなに複雑怪奇な現象もわれわれは言葉かイメージか数式のような記号によって把握しようとする。われわれ自身の思考も感情も、言葉の助けを借りてより深く、より詳細に展開することができる。しかし、他ならぬ、この思考にとって欠かせぬ手段である言葉が、逆に思考を停止させたり、ミスリードしたりする危険をはらんだ曲者《くせもの》であることを、肝に銘じておきたいものである。

第4章　人類共通の価値

京都のベトナム人

カンボジアでポルポト派による虐殺《ぎゃくさつ》の生き証人たちの何人もが語っている。

「美しい女性は、ベトナム人に違いないと疑われて、片っ端から連れ去られて惨殺《ざんさつ》された」

たしかに、ベトナム女性の美しさは定評がある。同じ黄色人種でも、蒙古《もうこ》系や朝鮮半島系の骨相は、眼窩《がんか》が円形なのに対して、ベトナム人の眼窩は四角い。つまり顔の面積の割に眼が大きい。

それに、あのアオザイは、世界各地の民族衣装のなかでも、女性の魅力を最大限引き出すという点では、傑作中の傑作なのではなかろうか。上半身の身体《からだ》の曲線をくっきり際《きわ》だたせる点ではチャイナ・ドレスと同じだが、下半身部はピッチリ、ムッチリとしたチャイナ・ドレスと違ってサラサラと風になびくようなゆるやかな作りになっている。小柄でほっそりとしたベトナム女性が着ると、ああ天女とはこんな女性ではなかったんだろうかとため息が出る。しなやかさと軽やかさと柔らかさとが絶妙に調和して、男でなくともウットリと見とれてしまう。

そんなベトナム女性が、しかも妙齢でトビキリの美女たちが三〇人以上もまとまって日本に来たことがある。ベトナム民族歌舞団の面々。一か月以上もかけて日本各地を巡業してまわった。

招へい元の興行会社から派遣されて、舞踊団に随行するS君は、まだ二〇代の独身だから、毎日が心弾むウキウキソワソワの連続。こんな美女たちに囲まれてお給料までいただけるのだから、夢のようだ。

それにしても、しばらくすると、身振り手振りや微笑《ほほえ》みかけたりするだけでは飽きたらず、何とか話しかけたくなってきた。同行のベトナム語通訳のK氏に、簡単な言葉でいいから教えてくれとせがむようになる。「こんにちは」とか「ありがとう」とか、必要最小限の挨拶《あいさつ》ことばは何とか口をついて出るようになった。

「こんにちは」

とベトナム語で挨拶すると、美女たちも白い歯をこぼれんばかりにして、

「こんにちは」

と答えてくれる。こうなると、S君も欲が出てくる。

「もっと、もっと教えてくれ」

とK氏にねだるのだった。それで、K氏もベトナム語の単語の構造的な特徴を説明するのだった。

ベトナム語には、類冠詞というのがある。たとえば、樹木をあらわす言葉には、必ずその手前に樹木を表す「カイ」という冠詞をつける。その後に樹木の名称を言う。柳《やなぎ》は、

カイ・リョウ。「リョウ」は柳という樹木の種類を意味する言葉だ。同じように全《すべ》ての鳥類を表す言葉には、「チム」という類冠詞が先行する。雀《すずめ》は、チム・セエだし、鶯《うぐいす》は、チム・ワイン、鳩《はと》は、チム・ボコである云々《うんぬん》。

S君はフムフムうなずきながら、健気《けなげ》にメモをとるのだった。

さて、舞踊団一行は京都に滞在し、休演日に市内観光をした。季節は光ざわめき緑さやく麗《うるわ》しき五月。ちょうど平安神宮前の広場に到着したアオザイの色も華やかな集団めがけて鳩の群れが舞い降りてきた。絵のように美しい光景である。

S君は、ここぞとばかりに美女たちに向かって走り寄り、叫んだ。

「チム・ボコ、チム・ボコ」

美女たちも、嬉《うれ》しそうに応じて、歓声をあげた。まるで、風鈴屋の店先で音色の異なる風鈴が一斉に突風に吹かれて鳴り響いたかのようだった。

「オーッ、チム・ボコ、チム・ボコ、チム・ボコ……」

多言語にまたがる駄洒落《だじゃれ》を貫くある法則

駄洒落が出てくると通訳はお手上げである。原語の言葉の響きに依拠する遊びは、訳語では失われてしまうのだから、これは自明の理。翻訳のように、時間的に余裕のある場合は、意味訳した上で、同音異義語を総当たりしてカケ言葉になっているのを探し出すという面倒な手もある。文学作品の翻訳者は、そうしている。しかし、同時通訳は言うに及ばず、原発言に続いて間髪入れず訳語を発していかねばならない逐次通訳者にしても、そんなこと要求するのは時間的に無理である。こんなこと、ことさら言うまでもなく分かり切ったことだと思いたいのだが、残念ながら、

「スウェーデン食わぬはオランダの恥ってなもんだ、ハハハハ」

とか、

「モータクトーシソー（毛沢東思想）ってのは、ありゃ中身をとって見りゃあモーソー（妄想）だね」

なんてことを外国人とのコミュニケーションの場で発言して悦に入る人は後を絶たない。勝手に悦に入っている分には一向に構わないが、通訳に訳せなどと仰《おお》せられる。もちろん、これはどうあがいても通訳不可能で、外国人には伝わらない。せいぜい、

「ただいま、スピーカーは語呂《ごろ》合わせをやりましたが、通訳不可能です。申し訳ありませんが、ムードを盛り上げるため笑ってやってください」

などとお茶を濁すしかない。こういうスピーカーは通訳にとって、はっきり申し上げて、天敵である。

単一言語内の駄洒落は、そんなわけで通訳泣かせなのだが、二つの言語にまたがる駄洒落ってのは、時として対話の潤滑油にもなるし、人間関係の親密化にも寄与するから

不思議だ。

　仙台を初めて訪れたロシアの労働組合代表団があった。なにせ初対面だから、日露双方コチコチに固くなって、会話もギクシャクしている。そのとき、一行に随行してきたロシア人の日本語通訳が、

「日本も東北地方になるとロシアに近いせいか言葉も似てくるようですね。ロシア語ではyesはダーですが、皆さんはyesの意味でンダーと言いますもの」

　と述べて爆笑を誘い、緊張した雰囲気を一気に解きほぐしてくれたことがある。

　レニングラード・フィルといえば、多くのクラシック・ファンにとって、神様のような存在である。そのレニングラード・フィルの錚々《そうそう》たる楽団員たちが、日本のオーケストラ団員との親善交流のなかで、日本側が歌って聴かせた民謡に椅子《いす》からずり落ちるようにして笑いころげた。いつまで経《た》っても笑い止《や》まない。

「なぜ抱腹絶倒を誘ったのでしょうねえ。いまだに分からないのですよ」

　と首を傾ける楽団員に尋ねられたわたしには、思い当たることがあった。

「その時唄《うた》われた民謡ですが、『ホイホイ』という合いの手が入っていませんでしたか」

「エッ、なぜ分かったんですか」

　と楽団員はちょっとびっくりした様子。実は「ホイ」は、男根を意味するロシア語の俗語の響きと非常に似通っている。こんな合いの手を入れながら、真面目《まじめ》に歌を唄われ

たら、そりゃ笑いころげたでしょうよ。

ちょうど「ホイ」と「フイ」の中間ぐらいの音で、形容詞形が「フヨーヴィイ」である。これには、本来の意味以外に「何の役にも立たない、どうしようもない、最低の」という転義がある。

それで、通訳中たびたび困るのは、日本のホテルにはなぜか必ず「芙蓉《ふよう》の間」と名付けられたホールがあること。会議会場や、レセプション・ホールとして使われることが多い。これをそのまま訳すと「フヨーヴィイ」と音韻的に一致してしまうので、無用な誤解を避けたいと、通訳としては苦しみ悶《もだ》えるのである。

「次の会場は『チンボコの間』（または『最低の間』）ですので、そちらにお移りください」

なんて受け取られるのは、いくら偶然の音韻的一致であって、訳者のせいではないといっても、やはり気がひけますからね。

食卓の通訳でも、気は抜けない。危険はいたるところにあるのだ。日本人が愛してやまないビールとして、好んで注文する「エビス」は、ロシア語では fuck の命令形に相当するから、ロシア人にとっては、突然かなりキツイ冗談を一発かまされたようなものだ。幸いにして、こういう音韻的な偶然の一致は和気あいあいとしたなごやかなムードづくりに一役かってくれることが多い。

さて、その昔、イタリアに料理留学していた妹が、

「日本ではスープのだしを何でとるのか」

とイタリア人コック仲間に尋ねられ、

「カツオという名の魚の乾物で」

と答えると、一瞬聞き手一同の怪訝《けげん》な表情と沈黙があった。続いて、連中はドッと笑いころげ、何人かは立っていられなくなってへたり込んでしまうほどの喜びようだったという。「カツオ」は男根を意味するイタリア語の響きに限りなく近いためである。

おそらく、イタリア語の通訳者たちも、会議の日本側スピーカーの氏名に「カツオ」と響く音がある度に冷や汗をかいているのだろう。

その昔在プラハ・ロシア語学校に通っていた少女時代、珍しく入ってきた日本映画を見る会があった。題名はすっかり忘れてしまったその映画の中で、主人公の少年が母親に向かって、

「かかあ」

と呼びかける度に、会場の爆笑を誘って、私は肩身の狭い思いをしたものだ。おそらくあれは、愛国心とか民族的誇りなんてものを幼心に具体的に意識した初めての経験かも知れない。ちなみに「カカア」とはロシア語で「うんこ」のこと。

以上シツコク尾籠《びろう》な話ばかり立て続けに紹介したが、こういう異言語間の駄洒落すな

音韻上の偶然の一致や類似は、なぜかシモネタに多いのである。そう感じるのは、わたしの個人的な素養のせいかも知れない、と長い間思いこんでいた。記憶の網に濾過《ろか》されて残る知識の多寡《たか》は、やはり関心の度合いに比例するのだからと。

しかし最近客観的な原因を発見して膝《ひざ》を叩《たた》いた。小踊りするほど嬉しく、一人胸にしまっておくのももったいないので、まずは読者諸兄姉にお知らせする。

そもそもシモネタ関係は、いかなる言語においても極めて語彙《ごい》が豊富なのである。これは糞尿《ふんにょう》系、性生活系のいずれの語彙にも通じる真実なのだ。たとえば、液状排泄《はいせつ》物一つとってみても小便、小、小さい方、尿、お小水、おしっこ……と即座に同義語が浮かぶ。それだけ人間にとって身近な存在。まさにゆりかごから墓場までついて回る現象なのだから当然と言えば当然なのだが。

しかも、シモネタに限らず日常的で身近な事物を表す単語は、これまたいかなる言語においても短い、すなわち音節数が少ない。

この二つの理由によって、遠く離れた異なる言語の単語間において生じる偶然の音韻的一致や類似が、シモネタ系の言葉に生じる確率の高さが条件づけられるのである。

そう、あなたもいま日本語で語りながら、世界に一五〇〇から三〇〇〇あると言われている言語のいずれかで、紳士淑女がゆめゆめ口にすべきでない言葉を口走っているのかも知れない。おかしくて、怖いことですね。

顰蹙《ひんしゅく》ついでに

遠い昔、ベトナム戦争の頃、読んだ新聞の連載記事の中で、今でも忘れられないのがある。アメリカ軍による爆撃が本格化した北ベトナムの庶民の生活を取材したもの。

高温多湿のベトナムでは、ひとたび病原菌が発生すると、その繁殖と拡大は並外れて素早いので、衛生思想の啓蒙《けいもう》は重要な課題である。感染経路の要《かなめ》となっている便所を近代化する努力の一環として、農村地帯に普及させようとしている簡易式衛生便所というのが詳細な図解付きで紹介されていた。

用を足したあと傍らの容器に用意された灰を糞便の上にかけるようになっていて、蝿《はえ》が感染の担《にな》い手とならないよう便器には蓋《ふた》がついている。その簡易式衛生便所の考案者の名がフン博士……ここまで読んでわたしは新聞を抱えながらヒーヒーと涙を流し、鼻水をすするほど笑いころげた。

米ソ間の、ついでに日ソ間の冷戦関係が少しずつ解凍し始めた頃、つまり一九八七年か八八年頃、日ソの防衛問題に関するシンポジウムが開かれたことがあり、同時通訳を依頼された。まだ日ソ双方コチコチに緊張しきって対面していた会議である。通訳だってそんなときは目いっぱい緊張するものだ。ソ連側団長が団員を紹介するのだが、ある将軍の名前を聞いて、ブースの中に陣取っていたわたしは二人のチームメートともども笑いが止まらなくなり、通訳不能に陥った。

「社会主義労働英雄、陸軍大将……」

と物々しい肩書き付きで紹介された、威厳が軍服を着たような、生まれてこの方笑ったことなど一度もないような硬直した顔の将軍の名前が、「シリミエタ同志」だったのである。日本側の錚々たる高官や軍事評論家の面々も、笑いを嚙《か》み殺すのに身悶えしている風に見えたのは、錯覚とは思えない。

こんな経験はロシア語通訳に限ったことではない。

たしか「湾岸戦争における大国の犯罪」とかいう超真面目な会議の謹厳実直なフランス人スピーカーの名前が、最近エイズ予防で脚光を浴びているゴム製品を指す名称と音の上では同じだったため、笑い死にしそうになったフランス語通訳者もいる。

はるか遠く離れた異なる言語の単語間において生じる偶然の音韻的一致や類似が、シモネタ系の言葉に生じる確率がなぜ高いのかについては、先に考察した。それにしても二つの言語にまたがる駄洒落がシモネタ言葉になるとき、なぜこうも人々は嬉しがるのだろうか。

「嬉しがっているのはあなた一人だろう。人々などと勝手に他人にまで普遍化しないで欲しい」

とお叱《しか》りを受けそうだが、これは否定できない事実である。

映画『アマデウス』でお気付きのように、少なくともモーツァルトは筋金入りのスカトロジストだったみたいだ。家族や恋人宛《あて》の書簡には、辟易《へきえき》するほどウンコの話がちりばめられている。

スイフト、チョーサー、ラブレーなど世界文学の巨匠たちが、そして吉行淳之介、北杜夫、谷崎潤一郎、芥川龍之介、阿川弘之、田辺聖子、円地文子、金子光晴など、日本を代表する錚々たる文学者たちが、糞尿を語ることに時間と才能を惜しまなかったことは、安岡章太郎編『滑稽《こっけい》糞尿譚《たん》』(文春文庫)を読めば一目瞭然《いちもくりょうぜん》である。

ちなみに、ラブレーに関する世界的名著『フランソワ・ラブレーの作品と中世・ルネッサンスの民衆文化』(せりか書房)のなかで、著者のミハイル・バフチンは、近代以前から脈々と続く民衆文学において、ウンコは「陽気な物質」であり、「生命と大地の再生」の象徴だったと論じている。

そういえば、多くの夢占い本で「大便」や「便所」の夢が「再生」を意味しているが、とても偶然とは思えない。

『トイレと付き合う方法学入門』(朝日文庫)とか『トイレの穴』(福武文庫)とか『お尻《しり》の秘密』(河出夢文庫)とか、この分野の本は山ほどある。文庫本というのは薄利多売が原則だから、普通最低二万部の売上が見込めないと刊行しないと言われている。つまり、それだけ需要があるということなのだ。

今を時めく作家の椎名誠氏が『ロシアにおけるニタリノフの便座について』において、エッセイストの林望氏が『古今黄金譚』（平凡社新書）において糞尿譚に並々ならぬウンチクを傾けられている様子をみると、気の弱いわたしは励まされてしまうのである。

さて、それにしてもなぜこうも人々は笑い嬉しがるのだろう。

突然映画『モダン・タイムス』のシーンを思い出す。チャップリン扮《ふん》する囚人が例によって抱腹絶倒の成り行きで表彰されることになり、監獄の応接室で待機していると、たまたま所長の奥さんみたいな人がやってきてチャップリンの対面に腰をおろす。これが気取ったイヤな女で、

「フン汚《けが》らわしい、囚人なんかと同席するのは他に座る場所もないのでしかたないからなのよ」

といわんばかりに振る舞う。チャップリンのほうは身を縮めて申し訳なさそう。そこへ、コーヒーかなんかが運ばれてくる。一口所長夫人が飲み込むとゴヨンゴゴヨンゴヨンと胃が鳴る。夫人はきまり悪いものの必死で威厳を保ち、チャップリンのほうをジロリと睨《にら》みつける。チャップリンは聞こえないふりをして一口飲み込むと、これもまたゴヨンゴヨンゴヨンと胃が鳴ってしまう。映画館は爆笑の嵐《あらし》。

こういう生理現象は、男女、身分階級、民族人種の別なく誰にも等しく訪れる。人間を分け隔てる諸々《もろもろ》の壁を一挙にとっぱらってくれるのだ。しかも食欲と排泄欲はともに

生理現象ではあるが、食物摂取と排泄を較《くら》べると、前者にてインプットされるモノには身分階級差、個人差が顕著に表れるのに対して、後者にてアウトプットされるモノは基本的に変わりばえしない。この人類共通の、いや生きとし生けるもの共通の普遍性を確認する喜びゆえにわれわれは笑うのではないだろうか。

仏文学者の渡辺一夫がいみじくも述べている。

「ミス・ユニヴァースでも総理大臣でも××博士でも△△令夫人でも、毎日糞尿が腹にたまらないようにするわけにはまいりません。『臭いものには蓋をして』も臭いものは厳然として存在することを、上品になりすぎやすく、気取りすぎ易《やす》く、いい気になりすぎやすい我々人間は、忘れないほうがよいのかもしれません」

『モダン・タイムス』の例からも、右の文からも察せられるように、糞尿の話が面白くなる舞台装置として、気取りや偽善が必需品である。その意味では名著『誤訳天国』(白水社)の中で博学多識の文明比較論者ロビン・ギルが、スカトロジー好きではドイツ人と日本人の右にでる民族はないと指摘しているのが面白い。

もうひとつ、スカトロが笑いを呼ぶために理想的な条件がある。聞くものがゆめゆめ予測だにしないほど突如登場することである。異言語間のコミュニケーションにおいては、聞き手だけでなく話し手でさえ、発した言葉が相手の言語において糞尿をさしているとは露ほども疑わずにいるからたまらなくおかしいのだ。

日ソ交流史上の厳然たる事実

モスクワ市はクレムリンを軸として、幾重もの環状道路が同心円となって走っている。一番内側の環状道路は、クレムリンの城壁に沿って周囲をグルリとめぐる形になっており、一番外側の、全長二〇〇キロの環状道路が同時に市境の機能をも果たしているのだ。さて、このいくつもの環状線を貫くようにして、クレムリンから四方八方に放射線状に通りが伸びている。なかでもソビエト時代カリーニン大通りと呼ばれた新アルバート大通りは、トベルスカヤ通りと並ぶモスクワきっての目抜き通りだ。

この新アルバート通り沿いの、クレムリンの赤い城壁や国内最大のレーニン図書館の黒ずんだ列柱、それに国防省の白亜の建物が望める恵まれたロケーションに、小ぶりだが美しいお屋敷がある。外側の壁面には貝殻をデザインした可愛《かわい》らしい模様がめぐらされている。

ここに対外友好交流団体連絡会の本部があり、例の世界初の女性宇宙飛行士のテレシコワさんが会長をつとめていた。わたしも茶道や華道などの文化使節団に通訳として同行して中に入る機会が幾度かあったのだが、インテリアも凝りに凝った造りだ。革命前に、さる豪商が建てた邸宅だったという。

この建物が一九四五年までは、わが日本国の大使館として使われていたらしい。この年の二月に黒海沿岸のヤルタで開かれた会談で、アメリカはサハリン南部と千島列島をソ連に与えることと引き替えに、スターリンから対日参戦するという約束を取り付けた。四五年八月八日、ソ連は日ソ中立条約を破って対日宣戦布告する。国交は断絶し、当然在モスクワ日本大使館はこの美しい建物を明け渡して引き上げることになる。

建物は、その後一時インド大使館となり、最終的には対外友好交流団体連絡会の本部所在地となった。

日ソの国交回復が進むのはスターリン死後のことである。一九五六年一〇月に調印された日ソ共同宣言により、領土問題を棚上げしたままの国交樹立が果たされた。一九五七年に再び日本大使館はモスクワの地に戻ってくるのだが、あの美しい建物は、すでに別の団体が占めている。それで、今のカラシニコフ横町の格段と見劣りのする建物に落ちついた。

カラシニコフ横町は市心部にあるものの、一方通行の幅狭い道路で、従って駐車ができず、過去一〇年間のわたし個人の経験からすると、常に道路のどこかが陥没していて大きな水たまりがそこかしこにあるという恒常的欠陥道路だった。また、大使館の建物は、「清貧の思想」のお手本みたいに外見も内装もうら寂しく貧相で、ＧＮＰ世界二位の国力とはイメージギャップが甚だしかった。

何を好きこのんで、こんな恵まれない立地、恵まれない建物にいつまでもしがみついているのだろう、と不思議に思っていたら、実はソ連政府から、なかなか良い物件のお勧めがあって、大使館側もかなり心が動いたことがあったそうだ。

クレムリン宮殿を望むモスクワ川の対岸という最高のロケーション。並びにはイギリス大使館もある。ちなみに世界各国どこへ行っても、イギリス大使館は一番いいところにある。日本でも、千代田区一番町の桜の名所で有名な千鳥《ちどり》が淵《ふち》のお堀沿いの高台に広大な屋敷を構えているではないか。先発帝国主義国で世界の七つの海を制覇していた、かつての大英帝国の栄光の余韻が、こんなところに残っているのだなあと感心する。

まあ、そういうわけで、イギリス大使館並びの、願ってもない最高のロケーションに所在する立派な建物をどうかと、ソ連側が問い合わせてきた。国交回復したての頃だから、ソ連政府も相当日本に気をつかったのかもしれない。

ところが、日本側は候補地の番地を知るなり、即座に迷うことなく断ったと伝えられている。

「モスクワ市ヤキマンコ通り○○番地」

ロシア側に駐日大使館の候補地として「渋谷区恵比寿《えびす》」の土地をお勧めした経緯がなかったかどうか、今度調べてみよう。

第5章　天動説の盲点

ベルリンの朝鮮人

一九八八年一二月、東ドイツで開催される会議の通訳として、直行便がないためウィーン経由で目的地に赴くことになった。

ウィーンで東ベルリン行きのオーストリア航空機に乗り換えて、自分の席に着くと、となりにはすでに品の良い六〇過ぎぐらいの東洋人の紳士が座っていた。

「日本の方でしょう」

と紳士は流暢《りゅうちょう》な日本語でたずね、自分も東京に住んでいると言って、金《キム》という姓を名乗った。

「在日なんですが、北のほうです。とくに強い政治的理由があったわけではないんですが、所属を決めた頃は、今と違って、南は李承晩《イ＝スンマン》政権とか朴正熙《パク＝チョンヒ》政権とか、かなり独裁的でメチャクチャな国だったんですよ」

と尋ねもしないのに、淡々と語ってくれた。

そうこうするうちに、

「約二〇分後に東ベルリンのシェーネフェルト空港に到着いたします」

という機内アナウンスがドイツ語と英語で流れた。機体の降下が始まって、一〇分ほど経《た》ったろうか。ようやく幾重もの雲の厚い層を通り抜けて、うっすらと霜をかぶった針葉樹林の中に点在する家々の屋根が見えてきた。

第二次大戦後の世界情勢のなかで、地球には三つの分断国家が生まれた。

一九五四年、フランスとの戦争の結果北緯一七度線を境に南北に分断されたベトナム。

アメリカ、フランス、イギリス、ソ連の各戦勝国による分割占領の結果できた一時的なはずの境界線が、一九四九年の西側諸国占領地域におけるドイツ連邦共和国と、ソ連占領地域におけるドイツ民主共和国の成立により、国境と化してしまったドイツ。

一九四五年、降伏受理した在朝鮮日本軍の武装解除に当たるアメリカ、ソ連両軍の境界線が、一九四八年の大韓民国、朝鮮民主主義人民共和国の成立にともなって国境と化した朝鮮半島。

ベトナムは、すでにアメリカとのベトナム戦争に勝利して、一九七六年に念願の南北統一をはたしていた。

残る二つの分断国家、ドイツと朝鮮半島は、ともに第二次大戦後の冷戦という名の不毛な対立の犠牲になったといえる。アメリカとソ連という二大超大国をそれぞれ筆頭とする資本主義と社会主義という相対する二大陣営の地勢学的最前線に位置したために、生木を割かれるように、同じひとつの民族が引き裂かれてしまっていた。

いま搭乗機が着地しようとしている国と隣席の紳士の故国が共有する悲劇を思って、わたしは少し感傷的になっていたのかもしれない。

「この国は、お国と運命を同じくする国ですね」

そうつぶやいてしまった。

「それは、違う。断じて違う」

紳士は突然声を荒らげ、穏やかな表情をかなぐり捨てた。怖くなるほどだった。興奮した金さんの言葉は、しどろもどろ。うまく表現できないことにイライラしていた。言いたいことが団子になって押し寄せて、言語中枢《ちゅうすう》を混乱させているようだった。しかし、その内容は、決して支離滅裂ではなく、わたしは雷に打たれたようなショックを受けた。

「ドイツは、占領される原因を自らつくり、従って分断される原因について、責任の一端を負っている。わが故国は、違う」

金さんが言いたかったことは、おおよそ以上のことだった。そうなのだ。なぜ、こんな自明の事実に気がつかないでいたのだろう。

三〇〇〇万人近い死者、四〇〇〇万人近い負傷者という史上空前の犠牲者を出し、人類を塗炭の苦しみに追いやった第二次大戦を仕掛けたのは、ドイツであり、日本であり、イタリアだった。占領地域の国民にドイツや日本が行なった身の毛もよだつ残虐《ざんぎゃく》行為の数々を、今さらここで列挙するまでもない。連合国の軍隊が、ドイツや日本による被占領地域の国民に解放軍として狂喜して迎えられたことをみても、それは分かる。

侵略先から連合軍に追われて撤退し、本国まで追いつめられたところで、降伏したドイツが、連合軍に戦後処理のため占領されたのはいたしかたない。しかし朝鮮は、一九一〇年の日韓併合以来、先の大戦中も一貫して日本の拡張主義と侵略戦争の犠牲となってきた国である。ところが連合軍は、日本を占領したばかりでなく、朝鮮までもを占領下に置いてしまった。日本軍が駐在していたという理由で。それが、民族の分断につながった。朝鮮は、米ソの軍隊に占領される原因を自らつくったのではなく（それをつくったのは、日本だ）、従って分断される原因について、一切の責任を負っていないのだ。あくまでも紳士の金さんは、口にこそ出しはしなかったが、

「本来、引き裂かれるべき責任を負っていたのは、日本だった。ドイツが受けた罰を、日本が免れたのは、それを朝鮮・韓国に肩代わりさせる結果になったからだ」

と暗に言っている気がして仕方がなかった。少なくともそういう歴史の選択肢が有り得たことの論理的必然性に、わたしはその時初めて気付かされたのだった。

その後、ソ連邦崩壊前後の混乱の中で次々と古文書が公開され、今まで噂《うわさ》にはのぼっていたスターリンの北海道占領計画が実際にあったことが明らかになり、このオプションは俄然《がぜん》現実味を増した。

村上龍は、『ヒュウガ・ウイルス』のなかで、一九四五年の日本が連合国に無条件降伏せず、本土決戦で敗北したため、米国、ソ連、中国、英国に分割統治されるというフ

イクションを展開している。

それよりはるか前に井上ひさしは、『一分ノ一』という小説（「小説現代」にベルリンの壁崩壊以前から連載されていたが、壁崩壊以後しばらくして中断）の中で日本が戦後連合軍各国によって分割統治されていたという仮説をベースに物語を構築している。

フィクションとは、単なる想像力の産物というよりも、皮相な現実の裏に山のように控える実現されなかった「現実」を読み取る洞察方法でもある、と心底から思ったものだ。

金さんとともに降り立ったベルリンの壁は、翌一九八九年の暮に崩壊し、一九九〇年一〇月三日に、両ドイツは四一年ぶりに再統一を達成した。

地球上の分断国家は、朝鮮半島の南北だけになった。

満州の日本人

同一九九〇年東京、ただでさえ蒸し暑い夏のある日、わたしは異様な熱気につつまれた会場で通訳をしていた。会場を埋めつくしていた人々の圧倒的多数は七〇前後の男たちだったが、「枯れた」などという修飾語がもっともふさわしくない様子である。男たちからはすさまじいエネルギーがたちのぼっていた。それは、ソ連赤十字社の代表が壇上に上がり、ソ連の捕虜収容所における一日の食事に関する規定を読み上げたときに頂点に達した。

「バター○○グラム、卵○○個、牛乳○○リットル……」

スピーカーのロシア語も、わたしの訳し出す日本語も、これ以降は、どよめくような罵声《ばせい》と嘲笑《ちようしよう》にかき消されてしまった。

それでもソ連赤十字社代表は少しもあわてず、興奮がさめやるのを待って、続けた。

「いいですか、わたしは当時の捕虜収容所の食事がこうであったと言っているのではありません。中央の管理当局の文書では、こう書かれてあったという事実を申し上げているに過ぎません。これが当局の欺瞞《ぎまん》であるのか、あるいは食料は規定どおり配給されていたのに、途中で横流しや着服があったのか、いずれも否定できません」

ようやく通訳業務続行可能になった。しかし油断はならない。会場の男たちの瞳《ひとみ》は憤《ふん》怒《ぬ》の光をためて壇上をにらみつけていたから、いつまた中断されるか分からない。

このシンポジウムの通訳を引き受けたときから、こういう展開を予測はしていた。何しろ、かつてソ連に戦争捕虜として抑留されていた日本人が、これほど大人数集まって、ソ連側代表と一堂に会するのは初めてである。たまりにたまった怨念《おんねん》が、やっとはけ口を見いだし、怒濤《どとう》のように堰《せき》を切って流れ出ようとしていた。これも、ペレストロイカが始まって可能になったことのひとつである。

それまでのソ連は、過去の恥部の全《すべ》てに蓋《ふた》をして隠ぺいするという態度であった。恥部というのは、当時のソ連の収容所で国際的な捕虜の取り扱いに関する協定が全く無視されていたからである。劣悪な居住環境のもとで重労働を課された約六〇万の抑留者のうち、約六万もの人々が落命した。また、日ソ講和条約が締結されないのをいいことに、捕虜たちをなかなか帰国させてくれず、一〇年後にようやく帰国できた人もいる。

元抑留者の人々がソ連各地の抑留先で亡《な》くなった人たちの名簿を要求しても、あるいは他の連合国に捕虜になった日本人には発行された労働証明書（これに基づいて日本政府が、補償を行う）の発行を求めても、けんもほろろであった。相手にもしてくれなかった。

それが、ゴルバチョフ登場後ガラリと変わったのである。

少なくとも日本側に会い、話に耳を傾けるようになった。そして学者たちを動員して調査に乗り出す。

「日ソ・抑留者問題シンポジウム」と銘打ったこの会議は、長年ソ連側に抑留者名簿と労働証明書の発行を求めてきた全日本抑留者補償協会に結集する元捕虜の人々と、ゴルバチョフ訪日を一年後にひかえて、日本人の対ソ悪感情の要因のひとつを探ろうとするソ連赤十字社と歴史学者のグループからなるソ連代表団との対話を目的としたものだった。

次のクライマックスは、ソ連の歴史学者K博士の発言中に起こった。ちょうど抑留者問題の発端となった歴史的経過について報告している最中だった。Ｋ博士が、ソ連軍が満州に「進行」したと述べたところで会場がどよめいた。

「日ソ中立条約を勝手に破ったんだろうが」

という怒号が鳴り響き、あとは収拾がつかなくなるような騒ぎとなった。Ｋ博士は、しばらく呆然《ぼうぜん》とした様子で会場を見つめていたが、意を決したように卓上のマイクを握りしめると、圧倒的な低音を絞り出すように言い放った。

「てめえら、その時どこにいたんだ！　自分の領土にいたのか⁉　満州は、他人の国だろうが」

蜂《はち》の巣をつついたような状態はピタリとおさまり、会場は嘘《うそ》のように静かになった。

そして同時通訳ブースで業務中だったわたしの頭の中で、その瞬間、過去のいくつかの記憶が一本の糸となって、あざやかにつながった。

中ソ関係険悪になる中で

わたしが両親の赴任にともない、当時はまだチェコスロバキアという連邦体だった国の首都プラハに移り住み、ソビエト大使館付属学校に通うようになったのは、一九六〇年の一月からだった。すでに、前年の一〇月末にはプラハに到着していたのだが、両親は小学校三年のわたしと一年の妹を、当初どの学校に通わせるかでかなり悩んだようだ。

三—五年後には帰国するのに、チェコ語では日本で教師も本も手に入らないから、勉強が続けられない。隣国オーストリアのウィーンには、アメリカン・スクールがある。しかし、幼い二人は両親から離れた寄宿舎暮らしを余儀なくされる。三か月迷った末に、全ての授業をロシア語で行う、ソビエト学校に決まった。

当時チェコスロバキアはソ連の衛星国であったから、多数のソ連人技術者や軍人が駐在していた。その子弟の教育のために、ソビエト政府が本国の教師を派遣し、本国の学習指導要綱に基づいて運営する学校である。

わたしの両親と同じような考え方をする在プラハ外国人は多かったらしく、ソビエト学校は、五〇か国以上の子どもたちが学ぶインターナショナル・スクールになっていた。学童の国籍をみると、五大陸の主な国々をほとんどカバーしていたが、主力は、やはり社会主義陣営に属していた国々だった。中華人民共和国からの子どもだけが、なぜか一人もいなかった。中国は、ソ連、アメリカについで大きな大使館をプラハに持っていたのに。

以前は中国人の子弟がソビエト学校に通って来ていたという。それが、わたしと妹が編入する前年に、一斉に退学していったらしい。国語の教科書では、ソ連と中国両国人民の永遠の兄弟愛がうたわれていたし、公《おおやけ》には国際共産主義運動の一枚岩の団結が喧伝《けんでん》されていたが、どうも深刻な対立が両国間に生まれているらしい、それを懸命に取り繕《つくろ》っているらしいことは、子ども心にも察せられた。

それが、一気に表面化し、急速に悪化の一途をたどり始めたきっかけは、一九六三年に発効した部分的核実験停止条約をめぐる対立からだった。大気圏内、宇宙空間、水中での核実験を禁止するものだったが、地下の核実験の継続は認められた。

「米ソは、さんざん大気圏と海洋で核実験をしてきて、必要なデータを全部入手して、これ以上必要なくなってから、こちらの開発を抑制するために何を自分勝手で欺瞞的なことを」

と後発核保有国の中国とフランスがこれに反発して加わらなかった。もちろん、中国は、そういう本音を表明したわけでなく、公式的には、

「地下を含めたあらゆる核実験の禁止でなくては、意味がない」

とつっぱねた。西側諸国に対して体面上必死に保たれていた中ソの「団結」は、ここにきて完全に馬脚をあらわし、今まで抑制していたお互いに対する不満が一気に爆発した感があった。部分的核実験停止条約そっちのけで、国際共産主義運動における指導権争いの様相を呈してくる。

ソ連とソ連衛星国だったチェコのマスコミは一斉に反中国キャンペーンを繰り広げ、内容はどんどんエスカレートしていった。

その頃、フルシチョフと毛沢東の間にグラーシュ論争というのがあった。グラーシュ

というのは、ハンガリーの代表的国民料理で、一言で表現するなら、パプリカをたっぷり効かせた牛肉シチューというところだ。日本で言えば豚汁、ロシアで言えばボルシチ、四川省で言えば麻婆豆腐《マーボー》のような庶民の味、おふくろの味である。

東欧衛星諸国をも積極的に対中国論争に動員していく目的でハンガリーを訪問したフルシチョフは、毛沢東をはじめとする中国指導部に対する非難に満ちた大演説をぶった。

「指導部の誤りゆえに、中国の経済は年々悪化の一途をたどっており、農村は疲弊し、人民の生活は逼迫《ひっぱく》している」

と述べたところで、おそらくフルシチョフは、聴衆の退屈そうな顔つきに気付いたのか、ハンガリー人の聴衆にも分かりやすいたとえをしなくてはならないと思ったらしい。

「中国の労働者や一般大衆は、肉を買えないため、グラーシュさえ食べられなくなっている」

と口がすべった。毛沢東が、この失言を見逃すはずがない。

「そりゃあ、わが中華人民共和国には、グラーシュなんて料理ないんだから、それを人民が食えるはずがない。(ここで、グラーシュとはいかなる料理かを説明した上で)ただし、グラーシュなんかよりはるかに美味《うま》い肉料理がいっぱいあるから、フルシチョフ同志にわざわざ心配してもらわなくとも結構だ」

と『人民日報』で反論した。

中ソ論争の巻き添えを食らって国民料理をけなされたハンガリー人には迷惑な話だ。「それにしても大人げない論争だ」と子ども心に思ったものだ。ホーム・ルームの時間でも、テーマはこの一点に集中した。そんなホーム・ルームのディスカッションで取り上げた新聞記事で、ショックで今も忘れられないのがある。

ソ連は、一九六〇年以後、中国に派遣していた技術者を一斉に引き上げはじめた。機械設備一切がソ連仕様だったから、まだ国際的に孤立していた中国の経済にとっては大打撃であったと思われる。このソ連人技術者たちの引き上げ列車が、中ソ国境を通過する前に一時停車する。出国や税関の検査だけでなく、レールの幅が異なるため、車輪を取り替える必要があるからかなり時間がかかる。記事によると、ここに大挙して中国人が押し寄せ、ソ連人たちの面前で次々にズボンを下ろして尻《しり》を向け、これみよがしに糞《ふん》尿《にょう》をたれ始めたというのだ。

中国では、どうやらこれは、相手を侮辱するための最大最高の手段であるらしい。最近読んだベストセラー『毛沢東の私生活』（文藝春秋）でも、紅衛兵の集団的示威行動のひとつとして描写されている。

わたしにとって、衝撃的だったのは、中国の一般国民のレベルで、これほどまでにソ連とソ連人に対する憎悪《ぞうお》の念が広まっていることだった。

一九六四年の暮れ、プラハ→モスクワ→北京《ペキン》→カントン→ホンコン→東京というルートで帰国したわたしたちだが、モスクワでは、中国のことを「教条主義者」、北京ではソ連のことを「修正主義者」と罵《のの》しるのをイヤというほど聞かされた。なんだ、大した悪《あく》罵《ば》ではないではないか、と思われそうだが、マルクス・レーニン主義に対する正統性を競っていた当時のソ連と中国にとっては、これはお互いを破門しあうような、泥仕合の捨てぜりふみたいなものだったのである。

とにかく、会った人々はふたことめには相手国の悪口を言う。自国内の現在の不都合や欠陥をすべてソ連は中国の、中国はソ連のせいにしてうさを晴らしているというふうだった。

一九六九年春には、ついに中ソ間に武力衝突が起こる。両国国境沿いのウスリー川の中州ダマンスキー島の帰属をめぐって国境紛争が激化し、一触即発で中ソ戦争に発展する危機を秘めていた。以後一九八〇年初頭まで、両国関係は敵対と憎悪の一途を突き進んだ。

一九七三年にソ連の極東はアムール川沿いのハバロフスク市を訪れたときは、対中感情最悪の時期だったのだろう。中国国境線に近い、この都市は、ソ連政府もとくに力を入れて中国に対する警戒心を鼓舞していたのかも知れない。無関係の日本人であるわたしにまで、いちいち、

「中国をどう思うか」

と尋ねてきて、無難な答え方をしようものなら、しつこくしつこく中国はこれだけひどいことをしていると並べ立て、こちらがウンザリして、

「ああ、たしかに中国はひどいですね」

と応じるまで、付きまとうのである。怖くて試せなかったが、きっと中国を誉《ほ》めたりしたら、その場でブッ殺されていたのではと思う。とにかく異常だった。

アムール川の向こう側、つまり中国でも、事情は同じだったようだ。それは、当時親中国派だった日本人たちの常軌を逸したソ連憎悪を見るにつけ、そう思った。

一九八三年夏、中国東北地区を訪れる機会がめぐってきた。TBSテレビが企画した「北京―モスクワ九〇〇〇キロ、餃子《ぎょうざ》のルーツを探る」という番組取材のためにロシア語通訳として雇われたためである。一か月かけて北京↓瀋陽《シエンヤン》↓長春《チヤンチユン》↓ハルビン↓満州里《マンチユーリ》↓ザバイカルスク↓イルクーツク↓ノボシビルスク↓ヤロスラーブリ↓モスクワというルートで途中下車しながら鉄路を進み、行く先々の料理を楽しむという旅番組。各訪問都市の名所旧跡も撮影対象となる。そのとき、他の日本人スタッフは特に注目しなかったが、わたしには、大変衝撃的だったことがある。

瀋陽にも長春にもハルビンにも、市心部の広場に、一九四五年最初に市内に入ってきたソ連軍の戦車や、ソ連軍の戦闘機を記念碑として石の台座に乗せていたのである。四

〇年の昔のものなのに、手入れは行き届いていて、台座の前には花束が絶えない。わたしも怪訝《けげん》に思って、同行の中国人コーディネーターにたずねたものだ。

「中ソ関係が最悪だった六〇年代七〇年代を通して、この記念碑は維持されていたのですか」

「ええ、これだけは、わたしたちにとって神聖なものでしたから」

とコーディネーター氏は、静かに答えた。

ここ中国東北地域は日本が一九三一年に起こした柳条湖事件という謀略を機に、一九三二年に満州国という傀儡《かいらい》国家をつくったところだ。一九四五年にソ連が一方的に日ソ中立条約を破棄して、ソ満国境を破り、なだれ込んで来た。

関東軍に棄民された日本人民間人がソ連軍兵士による婦女暴行や強盗など地獄のような目にあったことは、山崎豊子の『大地の子』はじめフィクション、ノンフィクション多数の作品が語り伝えている。

しかし、しかしである。日本に侵略され蹂躙《じゅうりん》され続けた中国東北部の人々にとっては、そんなソ連軍が解放軍だったのである。その後六〇年代七〇年代を通して、中国人の最大の敵であり、国民的憎悪の対象であり続けたソ連。それでも一九四五年の、日本の右翼が今も抗議し続けるソ連のソ満国境侵犯については、中国人は、神聖な感謝すべき行為として記憶にとどめているのである。

それは、とりもなおさず、日本の中国における支配が、いかに中国人にとって苦悩と屈辱に満ちた耐えがたいものであったかを物語る。

「相手の立場に立ってものを考えるように」

兄弟や友達と喧嘩《けんか》をするたびに、親や幼稚園の先生に叱《しか》られたものだが、いやはやこれほど難しいことはない。ましてや歴史も国も文化も異なる者どうしで、完全に相手の立場に立つことはたとえ善意からであれ土台無理だと覚悟したほうがいい。

おおよそ大多数の人々にとって、自己や自民族中心に世界は回っている。それは必ずしも悪い良いと決めつけられることではなく、生命体の自己保存本能から発する自然の法則のようなものである。だから、「相手の身になって」考える「思いやり」には限界がある。相手自らに語らせて、常にそれに対して心開き耳傾ける姿勢であることのほうが、より確かな気がする。

でも、実は、それよりもっと気になることがある。

カザフスタンのアメリカ人

ソ連邦の崩壊とともに新独立国家となったカザフスタン共和国のアメリカ大使館が、最近アメリカ映画週間を催した。カザフスタンの映画人を招き、ハリウッドの誇る名画を次々に上映して、

「さあ、どうだ！ 参ったか」

といわんばかりにアメリカ人たちは、得意満面だったという。

ところが、上映中から、失笑嘲笑《ちょうしょう》が絶えなかった。

その場に居合わせた日本人にうかがった話によると、まず失笑の的になったのは、女優をより美人に見せるために当時のハリウッド映画では、レンズにネットをかぶせて顔の粗《あら》を隠し、輪郭を和らげる効果を狙《ねら》うのを常套《じょうとう》手段にしていることだった。

「ハハハハ、アメリカじゃあ女はみんなあんな風に霧をかぶって過ごしているのかね」

というヤジが飛んだそうだ。

とくにイングリッド・バーグマンとハンフリー・ボガードの主演した名画中の名画の誉れ高い『カサブランカ』は、カザフスタン映画人の間で惨憺《さんたん》たる評判だったという。

かつてパリ時代、バーグマン演じるイルザの恋人だったボガード演じるリックが、仏領モロッコのカサブランカでイルザと再会。対独レジスタンスの闘士であるイルザの夫をドイツ軍の追跡から逃し、無事アメリカに亡命させるのに一役買うというメロドラマ。

不評の原因は、ナチス・ドイツからのヨーロッパの解放をしきりに叫ぶ主人公たちが、フランスの植民地であるモロッコに平気で支配者面《づら》しているおめでたさにあった。

同じアジアのカザフ人は、この欧米人の無神経に即座に気付いたのに、日本人は、戦後この映画が上映されるや名画として有り難く奉《たてまつ》った。「脱亜入欧」、上昇志向の強い日本人の思考回路は、完全に名誉白人化しているらしい。

わたしが気になる、と述べたのは、日本人の一部に著しいこのおめでたい傾向のことである。

第6章　評価の方程式

東京のエリツィン

アエロフロート社の飛行機が、あまりにも時刻表通りに飛ばないので、ついに怒り心頭に発した男が、

「どうせ遅れてばかりいるのなら、時刻表なんかつくるな！」

と息巻いたところ、

「お客さん、時刻表があるからこそ、遅れもあるのです」

と職員にたしなめられた。

職業柄、ロシア国内をそのサービスの悪さと時刻表の当てにならないことで定評のあるアエロフロート機で移動することがしばしばある。そんなとき、下にも置かぬサービスに日頃ドップリ浸《つ》かっている日本人同行者を、わたしは事前に脅かしておくことにしている。

冒頭の小咄《こばなし》を一発かました上で、

「わたしの経験では、今まで一度たりとも予定どおり飛んだことはないし、空港で三三時間も待たされたことがあります。いちど座席の上の換気扇から冷水が滴《したた》り落ちてきて往生し、スチュワーデスに訴えたら、『死にゃーしないわよ』と相手にもされませんでした。そもそもサービスという概念など無いのです」

と少し大げさに言い立てておく。

ソ連邦崩壊以前のこと、同行のロシア人がそれを耳にして、

「ひどい反ソ・キャンペーンだ」

と騒いで弱ったことも一度だけあったが、おおむねわたしのこのやり方は首尾良く終わる。三時間や五時間の遅れがあっても、同行者はいたずらにイライラすることなく、飛行機に搭乗できて目的地に無事到着しただけでいたく満足してくれるからである。

「運が良かったんですねえ。それに、思ったほどサービス悪くないですよ」

とアエロフロートも株を上げたりする。

つまり物事の印象というのは、事前のイメージに随分と左右される。期待の地平はなるべく低いほうがよい。

さて、一九九三年七月九日、Ｇ７＋１の東京サミットでの日露共同記者会見で領土問題を問われたエリツィン大統領が、

「その問題は一〇月訪日のおりに」

と答えたときに、それを同時通訳していたわたしは、一瞬ではあったが、訳し出すのを躊躇《ちゅうちょ》した。前日の八日、日露首脳会談に関する報道機関向けブリーフィングで、

「訪日予定は一〇月半ば過ぎを検討」

という発表がすでにあったが、

「可能性の一つとして」

という但《ただ》し書き付きであったし、あくまでも間接話法である。それを大統領自身の口からこうもハッキリと断言してしまっていいのだろうか。

四月二五日の国民投票に勝利して以後すぐにも通るはずだった大統領権限優位を狙《ねら》った新憲法草案は、かなり骨を抜かれた上まだ採択されていない。秋には議会の繰り上げ選挙実施の気配も濃厚だ。つまり客観情勢からして、訪日をとり止《や》めた前年の九二年九月、翌九三年五月に較《くら》べてエリツィンを取り巻く状況は一向に緩んではいない。

それに訪日を発表することで、逆に訪日しにくくなる状況が生まれてしまうというロシアの現実を、いまだにこの人分かってないのかしら。大多数のロシア人にとって地図の上のインクのシミに過ぎなかった千島列島南端の島々が、昨今にわかに権力闘争の具と化していく中で、九二年早々と訪日を発表したエリツィンは、議会や政敵の訪日阻止シフトに包囲され、ロシア・マスコミの反日キャンペーンは異常な盛り上がりを見せた。その愚かな二の舞をするつもりなのか。三度目の正直を裏切ったりしたら、いくら自国政府の公約破りに慣れている日本国民といえども、ロシアに対する信頼回復不能に陥るのではないか、と他人ごとながらつい老婆心《ろうばしん》が働いてしまったのだ。

どう見ても当時、日露の、少なくとも政府レベルの関係は、最悪である。お互い一方は相手に領土しか、他方は相手に支援しか求めないという、思えば不幸な関係だ。なのになぜか両国の政府・外務省もマスコミも数あるオプションのうちの最良の可能性を発表する癖がある。期待の地平を高めに高めに設定してしまう。ところが現実はそううまく運ばないから、当然ながら期待の高さに比例して失望度も必要以上に上昇する。ゴルバチョフ時代から、このパターンを反復しながら、両国関係は悪化の一途をひた走ってきたように思える。

もちろん外交技術のまずさに帰する以前に、日露間が険悪な状態になるだけの客観的要因は周知のとおり多々ある。それでも、いやだからこそ、もう少し慎重であって欲しいと思う。もっともエリツィンが、日本側の期待の地平を下げることを目的に立て続けに約束破りをしているとしたら、単細胞な見かけによらず大した深謀遠慮だ。

「どうせキャンセルするなら、訪日予定日など約束するな」

と息巻く日本に対して、

「約束があるからこそキャンセルもあるのです」

とロシアがたしなめたりして……

などとわたしが同時通訳ブースでヤキモキした時点から三か月後の同年一〇月中旬、なんとエリツィンは大方の予測に反して約束した時期より早くやって来た。議会に大砲を打ち込んで解散に追い込んだ勢いに乗って、意気揚々としていた。

三度目の正直は裏切りはしなかったけれど、日本政府も日本国民も、すでに思いっきり期待の地平を下げていた。当初予定されたもののキャンセルとなった一年前の九二年九月の訪日を控えた時点では、「二島ではなく四島を!」と威勢の良かった日本側は、相次ぐ訪日キャンセルにすっかり戦意を喪失したのか、「訪日実現」にこぎつけただけで、何だか一大目的を達成したような錯覚に陥ってしまったのだろうか。

結果として、議会を武力によって制圧するという民主主義に対する暴挙を、その最高責任者の来訪を歓迎するという形を通して、国際的に承認した最初の国になってしまった。

これは、単なる偶然の積み重ねの成り行きだったのか、それともやはりエリツィンは、深謀遠慮の人だったのだろうか。

仲人口《なこうど》は話半分

「T君ってのはね、もうそりゃ絵にかいたような美男子でね、O君は、これまたどハンサムなの。暇だったら一緒に行きましょうよ」

というわたしの言葉を信じて金曜夜のパーティーに参加することになったU子は、六本木の交差点の待ち合わせ場所に駆けつけた。T君もO君もすでに来ているのに、彼女はなおも人待ち顔。

「これで全員そろったわね。では会場に移動しましょうか」

というわたしの耳元に怪訝《けげん》な面持ちでささやく。

「会場のほうで、さらに合流するのね」

「ううん、これで全員よ」

「エッ、ど、ど、どこに絵にかいたような美男子とどハンサムがいるってのよー」

と語気強めるU子。

T君もO君も十人並み以上の容貌《ようぼう》をしているのだが、U子には全く評価されなかった。もちろん、わたしが大げさな形容をして過剰な期待をさせてしまったためである。世に言う、

「話半分に聞くべき仲人口」

を自ら実践してしまった結果になった。

この失敗に学んだわたしは、今度は逆の方法をとった。

「今までいろんな醜男《ぶおとこ》に会ってきたけれど、皆いつの時代か、どこかの民族ではハンサムで通るかも知れないって、思わせるところがあるじゃない。ところが、いかなる時代にも、いかなる民族においても、やはり醜男だろうと納得させられるすさまじいのが時々いるでしょ。今日あらわれるN氏は、その部類だから驚かないでね」

とあらかじめKさんに警告しておいたのだ。

しかし、これも大失敗だった。N氏に会うなり、Kさんは、

「あら、あなたが言うほどの醜男じゃないわ！」

と声高らかに叫んでしまったのである。わたしが、N氏の顔を正視できなくなったのは、言うまでもない。

いやはや、人間の容貌を言葉で表現するほど、難しいことはない。

「あなたの話を聞いていると、この世の中には、絶世の美男美女か、顔を背けたくなるような醜女《ブス》醜男しか存在しないみたいだわね」

としじゅう描写力の貧しさを皮肉られるわたしだが、主観的になるまいと、あまりに微に入り細にわたって描こうとすると、グロテスクになるばかり。

容貌については、あれこれ言わないほうが無難なのだ。

期待の地平は低めがいい

思えば、この商売を始めて以来、一〇〇回以上も崩壊前のソ連邦を訪れている。通訳として、実に様々な思想、信条、党派の人々に同行した。そして面白いことに、共産党系や社会党系の人々の多くは、ソ連を訪れて失望し、自民党系の多くの人々が、

「なんだ、それほどひどい国じゃあないではないか」

と結構ソ連を見直したりしたのである。奇妙だが、当然といえば当然のパラドックス。人間の判断が、いかに事前に形成されたイメージに左右されるかを物語る好例ではな

いだろうか。事前のイメージに縛られて、それを裏切る現象が眼に入らなくなるという弊害もあるが、逆に、事前のイメージとの食い違いが、大きなインパクトとなって、実際以上に印象に刻まれてしまうという傾向を、われわれの心は持っている。

これは、ポルポト派登場以前のカンボジアで国王だったシアヌーク殿下が、

「わが国の学生は、パリに留学すると共産主義者になって帰ってくる。モスクワに留学すると反共主義者になって帰ってくる」

と指摘したことに相通ずる真理だ。

一九九〇年夏、初めてソ連を訪れたコラムニストのえのきどいちろう氏が、漏らした名言も忘れられない。

「よく『北の脅威』なんていうので、『北の国』のつもりで来てみたら、『南の国』（=発展途上国）だった」

これなど、日常的に日本とソ連を往復していたわたしには、到底見えてこない真実だった。先入観こそが発見の前提という証左。

「先入観や偏見を捨てて、心を真っ白にして」

などといとも気楽に戒める人がいるが、至難の業だ。そんなことが実際に可能なのは、生まれたての赤ん坊が接する初めての現実に対してだけなのではないだろうか。

人間の記憶容量には限度があるから、あらゆる現実をそのままありのままの形で受け

入れて蓄積していったら、一日でパンクしてしまう。取捨選択、一般化、普遍化という意識的、無意識的操作を絶えず行なっている。つまり、どうやらわれわれは、常に古い偏見を新しい偏見で修正しながら、何とか現実を見据えようと努力している存在らしいのだ。

もっとも赤子のように無垢《むく》な心で物事を捉《とら》えられる精神の持ち主というのは、人間が求めてやまない理想的人間像のひとつでもあって、ドストエフスキイは、『白痴』という名の小説のなかでムイシュキンという主人公に具現化しようとした。しかし、ムイシュキンは、他の登場人物が湛《たた》える豊かなリアリティーを、ついに持ち得なかったのもまた事実である。

さて、評価は事前の期待の地平の高さに左右されるという人間の意識の習性のおかげで、驚くほど成功している人は山ほどいる。もちろん失敗している人も海ほどいる。

たとえば、旅行社のパック旅行の企画担当者。サービス無きに等しい、不潔、不便、無愛想が通り相場という国から旅を開始し、徐々にサービス先進国に移動していくルートで企画すると、参加者の最終的な評判がいいこと間違い無しという。お客さんたちは、場所をかわる度に便器に便座がついていることに驚き、水道の水が出るようになっただけで喜び、お湯など出たら随喜の涙を流す、ホテルの部屋が毎日掃除されることに歓喜の声をあげ、という感動多い旅を満喫するそうだ。

辛口の批評家がモテるのも、同じ理由だ。いつも何でもかんでも褒めちぎっている批評家に褒められても大して嬉《うれ》しくないのに、意地悪と毒舌を売り物にする批評家にチラッと注目されてけなされないだけでも、天にも昇る気持ちになるものだ。

外国為替銀行の人事担当者に伺った話だが、今までスペイン語圏への赴任予定者をスペイン本国で研修させていたのは、失敗だったという。大多数の研修終了者は、その後、治安が悪く生活環境もスペインより劣る中南米諸国に派遣されて、不満がくすぶるそうだ。それで、研修場所を中南米のいくつかの国に切り替えたとたんに、そういう不満が生まれなくなった。

こんなふうに人間の下す評価や判断が常に相対的で主観的で不安定なものだから、何とかより客観的な規準はないものかと人類は昔から頭をひねってきた。

たとえば、学業の成績や身長や体重や視力など、数値化しようとする。でも、人間は、この数値化された評価をも他人との比較において判断するのである。

この、どうしようもない人間の習性に応じるため、日本では偏差値などという、日本全国同時期に受験する人たちの成績を比較数値化するという馬鹿馬鹿《ばかばか》しい試みが制度化してしまった。何だか、どんどん逃げ場をなくしていってしまうようで、子どもたちがあわれでならない。

あるいは、気温。一〇年ほど前にTBS開局三〇周年記念番組の取材に通訳として同行して、真冬のシベリアを二か月かけて横断したことがある。うち一か月を、北半球の寒極が所在するヤクート（現サハ）共和国で過ごした。滞在中の平均気温がマイナス五〇度。

通常の感覚でいう寒いなんてものではない。痛くて痛くて皮膚など表面に出していられない。眼のところだけをくり抜いた毛糸の袋を頭からスッポリかぶり、その毛糸の皮膜に被《おお》われた顔面にマフラーをグルグル巻きつける。その上に毛皮の耳隠し付きの帽子をかぶって、その上にオーバーのフードをかぶる。唯一《ゆいいつ》外気に接している眼の表面の水分が瞬《またた》く間に凍って、瞬《まばた》きする度にシャーベットができていく。

最低マイナス五九度を経験した翌日、気温がマイナス五二度になったとき、

「ああ、暖かいなあ」

と取材陣一同異口同音につぶやいたものだ。

そして、平均気温マイナス三五度のイルクーツク市に到着したとたんに、暑くて暑くてオーバーなんか着ていられなかった。リポーターの作家など、セーター一枚で街中歩きまわって、ロシア人に気が変になっちまったんじゃないかと心配されたほどだ。

感心したのは、真冬のシベリア上空を飛ぶ飛行機だ。機内の気温はマイナス二二度。考えてみれば、乗客も乗務員も毛皮の分厚いオーバー着込んで毛皮の帽子かぶっているから（この風景はたいへん壮観）、暖房などしたら、皆がオーバーや帽子を脱いで置き

場に困ってしまう。

それに、機外に出たときのショックが少なくて済む。省エネもできて、なかなか合理的ではないか。

まあ、以上のようなわけで、意識だけでなくわれわれの身体《からだ》も、事前の体験との比較において事態を察知するような仕組みになっている。数値化された気温と、体感温度とは、別ものなんである。

アルバイトがアルバイトを紹介する法則

「いやあ、参りましたよ、米原さん」

と、ソ連邦崩壊前後のモスクワからの報道でお馴染《なじ》みになったTBSの金平記者が、同社のモスクワ支局で、ある時わたしにこぼしたことがある。

「夜間のテレビや通信社からのニュースの主なものを取捨選択して翻訳してもらうのに、アルバイトを雇っているのだけれど……」

「ああ、モスクワ大学の日本語科の学生さんでしょう」

「そうなんですよ。それが、卒業試験とか、留学とか、就職とかで続けられなくなる度に、辞めていく人に代わりの人を紹介してもらうようにしているんですけどね」

「まあ、妥当なやり方でしょうね。いったい何が問題なんですか」

「実は、ここに僕が発見した『アルバイトがアルバイトを紹介する法則』ってのがありましてね。紹介する側は、必ず自分より下手な奴《やつ》を連れて来るんです」

「なるほど、『評価は比較によって成立する』という真理をよく分かっているのね。この機会だから言っときますけど、わたしが金平さんをしょっちゅうけなすのは、誉《ほ》めた時になるべく喜んでもらえるようにっていう老婆心《ろうばしん》からですからね」

「ハハハハ、分かりましたよ。でも、これを次々とやられるものだから、アルバイトの質がどんどん下がっていって、今のはもう使いものにならないんですよ」

大笑いして金平さんの話を聞きながら、自分の体験を思い出してしまった。

初めてある原子力関係機関のセミナーを引き受けたとき、懸命に準備したものの惨憺《さんたん》たる出来だった。セミナー参加者たちの同情の眼差《まなざ》しが痛かったし、業務終了後も依頼者は、

「大変でしたねえ、お疲れでしょう」

としか言ってくれない。

「もう二度と同じところから通訳の依頼は来るまい」

と心底から確信した。そして、たしかに次のセミナーは別の通訳が雇われたようだった。

ところが、さらに次のセミナーで再びわたしに声がかかったのである。

「いったいどんな風の吹きまわしだろう？　よっぽど人がいなかったのかしら」

と思う反面、起死回生を狙《ねら》って猛勉強をしたものだ。本番になって、ようやく自分にまたお呼びがかかった謎《なぞ》が解けた。

いくら猛勉強したとはいえ、前回と較《くら》べて、それほど出来に開きがあるわけではない。少なくとも天地ほどの差ではない。なのに、出席者一同のわたしに対する評価には、前回に較べて、まさに天地ほどの隔たりがある。今回は天のほう。

そこで、思い当たったのである。前回のわたしの次に雇われた通訳の通じぐあいが、わたしに増してひどい出来だったに違いないと。

その後も、同じような経験は何度もした。直前に通訳をつとめた人のパフォーマンス、あるいは逐次通訳のペアを組んだ相手のパフォーマンスが良くなかったときほど、自分の通訳ぶりが絶賛されるのに気付いた。

「前の通訳の出来が悪いと、嘘《うそ》みたいに楽なのよ」

と、あるとき女友だちに話すと、後妻になりたての彼女もしきりにうなずきながら膝《ひざ》を乗り出して、

「そうそう、わたしも前の奥さんがかなりの悪妻だったらしくて、とても助かっているの」

と相づちを打った。

そういえば、二昔前までは、一般的にヨーロッパ人の男と日本人の女が結婚すると、順調にいく場合が多いといわれていた。前者は女性に対して、後者は男性に対して一方的にサービスすることに慣れ、サービスされることに慣れていないものだから、サービスされると新鮮で心から嬉しくて感謝しあうからだという。統計をとったわけではないので、真偽のほどは分からないが、なかなか説得力のある説ではある。

おそらく、通訳者の誰もが、遅かれ早かれ気付くことである。そして、ときどき金平さんが指摘した『アルバイトがアルバイトを紹介する法則』に等しいことをする通訳者がいる。自分のピンチ・ヒッターに、あるいは自分のパートナーに、自分よりも明らかに下手な人を紹介してしまうのだ。

わたしも何度そういう誘惑に負けそうになったことか。でも、すんでのところで思いとどまっている。別に律儀《りちぎ》であるからでも、良心的であるからでもない。

まだまだ自分の技能を伸ばしていきたいという野心マンマンであるからに他ならない。わたしは、自分が楽なほうへ楽なほうへと向かう習性をもつ人種であることだけは自覚している。だから、自分で自分を評価するとき、下手な人ばかりと比較していると、つい甘い点を付けてしまい、自己満足におちいって、果てしなく退化していく自分が見えてしまう。

せめて、自分よりは優れた人と組むことで、怠けがちな心身に警告を発し続けるしかないと、珍しく健気《けなげ》に思っている。

チェーホフも言っている。

「どんないい女も、ダメな男といるとダメになる」

幸せになる方法

もっとも、こういう上昇志向の強い人間は、なかなか幸せになりにくい。

幸せとは、自分を見つめる、もう一人の自分が、自分に満足であるときに感じる心の状態である。満足のノルマをどこに置くかで、幸せの度合いも左右される。

一〇年以上前、ある新聞社が子どもの日に行なった、日本、アメリカ、韓国、フランス、エジプト、ソ連六か国の子どもの意識調査で、日本の子どもがずば抜けて不幸福感が強く、自分に不満だったのが、印象的だった。たった一つの規準、たった一つの物差しで、学校も家庭も社会も、子どもを評価する残酷さに、衝撃をうけたものだ。

日本と中国の女性の意識調査で、八〇％もの日本女性が、自己の体型に不満を持っていたのに対し、中国女性のほとんどが自己の体型に満足していた。その理由は、もうお気付きのように、日本女性が心に描く理想の体型が八頭身のヨーロッパ女性だからだ。マス・メディアもファッション雑誌もデパートやブティックのマネキン人形も、こぞってこの八頭身欧米人型理想体型を日本人の脳味噌《のうみそ》にインプットし続けた結果だ。最近市場経済化が怒濤《どとう》の勢いで進む中国の女性たちの心に、このステレオタイプな美女のパターンが刷り込まれてしまう日は、そう遠くないかもしれない。

ただし、外国語学習に際してだけは、このステレオタイプ・メソッドは極めて有効だ。自分が発した言葉が、音韻的にも、語彙《ごい》的にも、形態的にも、文法的にも適切だったかどうか、頭の中に正確なパターンがあって、はじめて正しく判断できるのだから。母国語を駆使する時だって、われわれは無意識にそういう頭の中のパターンとの比較突き合わせをやっているのだ。いつまでも発音が下手で、同じ過《あやま》ちを繰り返す人は、刷り込んだパターンが間違っているのだ。

音韻的にも、語彙的にも、形態的にも、文法的にも正確なパターンをどれだけ素早く大量に身につけられるかで、外国語学習法の善《よ》し悪《あ》しも決まる。昔から耳が腐るほど言われてきた「良い文章を書くには、良い文章を沢山読め」とか、「モノを見る目を養うには、イイモノを沢山見よ」とかは、まさに良きパターンを脳味噌にインプットするための戒めだ。

努力しだいで改善が見込める分野にはどんどん理想パターンを取り入れ、容貌《ようぼう》とか年齢とか努力の余地のない分野にはゆめゆめ理想パターンなど描かないこと。これが幸せになるコツ。

第7章　◯◯のひとつ覚え

マニラのスイス人

フリードマン・バートゥという、スイスのまあまあ名のあるジャーナリストの著した『嫌われる日本人』（NHK出版）という本の中に、日本人の行動様式を武士道精神から解釈しようとするくだりがある。

「武士階級の規範が現代日本の最も代表的な社会階層であるビジネスマン社会に時を経て受け継がれている」

と主張する国際基督《キリスト》教大学の鈴木典比古教授のことばを引用している。

「武士道の精神と行動様式の根本を成しているのは、〝主君のための自己犠牲〟ということである。（中略）戦う目的は、敵を倒すということよりも、いかに主君のために御馬前で死ぬかという主君と自分の関係の成就《じょうじゅ》に在る」

この「主君」を「企業」や「直属の上司」に置き換えたのが、現代日本の企業戦士であると断じる著者は、いかに日本人が、何にも増して職務上の義務を優先し、必要とあらば、自己の生命の安全をも犠牲にするかという論旨を展開し、その例として自分がマニラで取材した日本大使館高官のY氏をあげる。

名指しで「絶賛」された当のY氏（ちなみにY氏は、霞《かすみ》が関《せき》エリートのイメージを快く裏切ってくれるほど柔軟にしてフランクで「ド」のつくほどのハンサム。決してサムライ・タイプではない）は首を傾《かし》げた。たしかに、そんなジャーナリストの取材は受けたのだが、大した話もしないうちに引き上げていった。挨拶《あいさつ》の域を出ないあの程度の会話から、何をもって、このような大げさな結論を導き出したのだろう。

読み進むと、対談中マニラ市を揺るがす巨大地震があったのに、Y氏はじめ日本人スタッフは、

「悠然と落ちつき払って見えた。彼らの何気なさが癪《しゃく》に障《さわ》った」

とある。たしかに、対談中ごくごくささやかな、地震とは呼べないような震動があった。Y氏はあわてず騒がず、その場に座り続けた。

ところが、スイス人の記者は顔ひきつらせて立ち上がると、オフィスのある五階から駆け下りていって庭に飛び出て行き、植え込みの茂みの中に隠れてしばらく出てこない。ようやく恐る恐る植え込みの中から顔を出し、あたりの様子をうかがいながら出て来て、もとの席に戻った。

そこへまた微震。Y氏は席をはずさず、スイス人はまた植え込みのほうへすっ飛んで行った。都合三回ほど、そんなことがあったのである。

おそらく、このスイス人の記者は中部および北部ヨーロッパ地域に棲息《せいそく》する大多数の人々と同様、自分の寄って立つ大地が震動するなど、生まれてこの方経験したことが無かったのだろう。生きた心地がしなかったに違いない。その恐慌《きょうこう》状態は本の中にも赤

裸々につづられている。

一方で、フィリピン諸島に勝るとも劣らない地震列島で生まれ育った者にとって、微震は、そよ風や小雨のような、驚くに値せず、恐るるに足らない気候現象のひとつに過ぎない。日本人ならば、多少の差はあれ、Y氏と同じように振る舞ったはずだ。決して取り乱したりせず、平然とこの「恐怖の揺れ」をやり過ごす外交官Y氏の姿は、スイス人ジャーナリストに強烈な印象を与えた。きっと、あらかじめインプットされていただろう、蟻《あり》や蜂《はち》にたとえられるような仕事中毒ぶりとか、集団への帰属意識の強烈さとかいう日本人観と相まって、スイス人の目には、

「職務への忠誠心ゆえに、たとえ自分の身に危険が迫ろうとも、仕事場を決して離れない典型的日本人の一人」

に映ってしまったようだ。

こういう意識の習性を指して、日本のことわざでは、

「蟹《かに》は甲羅に似せて穴を掘る」

と言い、ロシアでは、

「自分の頭の高さより高く飛べないヤツ」

などと言う。

己の経験則にしがみついて、初めて遭遇する事態にも、それを当てはめてしまうパタ

ーン化した思考回路のことだ。

わたしなど始終これで失態を演じている。わたし程度の分際だから、失態の迷惑範囲は狭くて済んでいるのだと思う。地位や立場や置かれた状況によっては、甚大《じんだい》な被害や悲惨な結末につながったり、抱腹絶倒の喜劇を生んだりする。

阿片《あへん》戦争に敗北した清朝《しん》の高官たちは、イギリスとの条約交渉に臨んだとき、イギリスのお役人たちが会談のテーブルの回りに自分で椅子《いす》を運んできて並べるのを見て、

「なんだ、下《した》っ端《ぱ》の連中ばかりか」

とすっかり相手側をあなどってしまったといわれる。清国では、そんなことは身分の低い者のやる卑《いや》しい仕事、ゆめゆめ高官が手を出したりするものではないとみなされていたからだ。

この清朝高官たちのおごりが、結局は清国側の不利な立場にさらに付け入る隙《すき》を相手に与え、その後清国が次々と列強との間に締結を余儀なくされる不平等条約のプロトタイプとなった江寧条約、別名あの悪名高い南京《ナンキン》条約につながってしまうのである。

東京のイタリア人

円高の加速度が増すほどに、日本の産業の空洞化は進む。大手だけでなく、中小企業も生産部門をどんどん海外に移している。あるいは、外国の企業を買収している。アパ

レル業界では中堅のT社も、イタリアの服飾メーカーを買い取って、傘下《さんか》に従えた。年に一度、参勤交代よろしくイタリアの子会社の重役が本社の社長を訪ねてくる。

そんなとき社長は、大歓迎する。自分の大好物の紀州の梅干しを振る舞うのだ。

「わしゃこれが好きで好きでたまらんのですわ。一個五〇〇円もするんでっせ。さあ、遠慮せんで。さあさあ」

と言われても、イタリア人にしてみれば、小皿にのせて差し出された梅干し、生まれて初めて目にする代物《しろもの》だから気味が悪い。しかし親会社の社長にすすめられて、拒むわけにはいかない。もうここは食うしかないと、腹をくくったものの、一体どういう風に食べたらいいのか皆目見当がつかない。

そうこうするうちに社長は、ガバッと小皿をひっつかみ口のところまで持ってくると、ペロペロッと舌先で梅干しをなめ、次に皿を傾け口の中に梅干しを転がし込んだ。

イタリア人の重役たちも、見よう見真似《みまね》でそれぞれガバッと小皿をひっつかみ、舌先でペロペロッと梅干しをなめ、皿の縁を口につけて、皿を傾け梅干しを転がし込んだ。一挙手一投足社長のコピーにつとめた。梅干しが口に入ったときに社長が浮かべた至福の恍惚《こうこつ》とした表情とイタリア人たちの思いっきり悲痛な表情も、外側から見る限り似通っていた。

種を満足げに口中でしばらく転がした後、社長は再び小皿を口もとに近づけると、唇を突き出してポトリと種を小皿に落とした。口の中に残った堅い固まりを、飲み込んだものか吐き出したものか、迷い悩んでいたイタリア人たちは、ここでホッと胸をなで下ろし、同じように唇を突き出してポトリポトリポトリと種を小皿に吐き出したのは、いうまでもない。

自分にとって美味《おい》しいものは、他人にとっても美味しいに決まっていると堅く信じて疑わない人々は、わたしのまわりにもゴマンといる。この種類の思いこみが手に負えないのは、一〇〇％善意に基づいているからだ。

それでも、毎日朝昼晩と肉食し、狩猟をことのほか好むくせに「鯨を捕るのは可哀《かわい》想《そう》」とヒステリックに反捕鯨キャンペーンを展開する国の人々に較《くら》べると、同じ自己の経験則絶対化病でも、かなり軽度で可愛《かわ》い気《げ》があると思うのは、身びいきだろうか。

モスクワのアメリカ人

「サックス先生は、ポーランドやボリビアの政府の経済顧問を歴任されたということですが、ポーランド政府に問い合わせたところ、『そんな顧問雇った覚えがない』と回答してきました」

フロアーからの発言は、言葉こそ丁寧だったが、壇上の主役、ジェフリー・サックス教授を名指しでこき下ろそうとしていた。一九九二年六月、ソ連邦崩壊後まもなく一年を迎えようとするモスクワで、ロシア経済改革に関するシンポジウムが、日本の大手新聞社、ハーバード大学、それにロシア政府シンクタンクの世界経済国際関係研究所の共催で開かれたときのことだ。

壇上の司会者があわてて何とか取り繕おうとしたようだが、無駄だった。会場を埋め尽くしたロシア人の圧倒的共鳴を背に、発言者は乗りまくっていた。

「ボリビア政府の方は、たしかにIMF（国際通貨基金）と先生の処方箋《せん》を採用した模様ですが、その結果はどうです。都市労働者を山岳地帯に強制移住させて大麻づくりに励んでる。それを国際麻薬ルートにのせて借金返すのに当ててるってえザマです。結局、IMFなんて聞こえはいいが、実態は高利貸しの借金取り立て機関でしょうが。その国が民主主義体制になろうが、独裁をしこうが、要は借金さえ返してくれればいいってことでしょう」

壇上で憮然《ぶぜん》と腕を組むサックス教授は、この時点でロシア政府の経済顧問に就任しており、ガイダル首相代行はじめ教授の忠実な弟子たちが経済閣僚の椅子を占めていた。そしてIMFとサックス教授が勧める改革方式を同年一月二日より実施していた。ショック療法といって、物価の自由化と財政支出の大幅削減、マネー・サプライの縮小を一気呵成《かせい》に行おうとする過激な体制転換のやり方だ。

「アメリカは、長年仇敵《きゅうてき》だったロシアを完膚なきまでに打ちのめし、二度と立ち上がれなくするため、サックス教授をロシアに送り込んだのでは」と皮肉る日本の学者（たとえば、森本忠夫《ただお》東レ経営研究所元顧問）がいるほどに、これは、ロシアの経済と国民生活に大打撃を与えた。貧富の差が一挙に拡大し、多くの生産部門が壊滅的状況に追い込まれていた。

だから発言者の皮肉な物言いには、怒りと悲鳴をからくもカモフラージュする精一杯のダンディズムが感じられて、同時通訳するわたしまで哀《かな》しくなってしまった。

「でもねえ、何だってサックス先生、それにIMFは、アフリカのケニアにも、東欧のポーランドにも、南米のボリビアにも、そしてわがロシアにも、まったく寸分違《たが》わぬ処方箋をあてがうんですか。何で、そんなに乱暴にそれぞれの国の歴史的事情や文化的背景や民族的特徴を無視できるんですか」

この質問に対するサックス教授の答えは聞けなかった。というのも、すでに別なアポイントメントを理由に壇上から姿を消していた。

この時点から半年を経た同年一一月、わたしはロシアの最大手の企業を結集したロシア企業家工業家同盟の本部の夕食会で通訳していた。その席上で、同盟の書記長が立ち上がると、

「みなさん！　ついに待ちに待った日がやって来ました！　この上なく素晴らしいニュースです。サックスがロシア政府の経済顧問を解任されました」

という発表をした。たちまち「万歳」というかけ声とともに拍手がわき起こり、続いてシャンペンの蓋《ふた》が次々宙に飛び、杯を合わせる音が鳴り響いたのを目撃している。国民と議会の爆発寸前の怒りを前に、エリツィン大統領も、ついにサックス顧問を解任したのだ。翌一二月には、サックス教授の忠実なる弟子だったガイダル首相代行も解任された。

こうしてIMFが自画自賛するショック療法は、ロシアにて完全な失敗をなめるが、相対的に成功したといわれるポーランドでさえ、旧共産勢力の復権を招いたほどに、国民には不評だった。

旧ユーゴ内戦の引き金

そして一九九〇年、旧ユーゴスラビアにこのショック療法なる急激な体制転換方式が採用されたことが、今やますます泥沼化し、和平が絶望視される民族間戦争の引き金になったと、岩田昌征《まさゆき》著『ユーゴスラヴィア—衝突する歴史と抗争する文明』(NTT出版)は指摘する。本書は、旧ユーゴの多民族戦争について書かれたものの中で、最も実情を熟知し、斬新《ざんしん》な見方を随所に光らせ、説得力があり、従って群を抜いて面白い。以下受け売り。

「ポーランドのように殆《ほとん》ど単一民族であり、(唯一《ゆいいつ》の国語である) ポーランド語を話し、ポーランド史を共有し、（国民の八五％以上が信者であるという）強力なカトリック教会のネットワークを有し、『連帯』という強力な社会運動が存在し、準カリスマ的ワレサ大統領がおり、しかも全世界一〇億のカトリック教徒の頂点に立つローマ法王にポーランド人を送り込んでいるというようなたぐいまれなる求心力とショックアブソーバーを備える社会であってさえ、ショック療法的体制転換は、深刻な社会不安を伴わざるを得なかった（かっこ内―引用者）」

旧ユーゴスラビア連邦は、セルビア、ボスニア・ヘルツェゴビナ、スロベニア、クロアチア、マケドニア、モンテネグロの六つの共和国とアルバニア系住民が八〇％を占めるコソボ自治州、ハンガリー系はじめ二〇以上の諸民族が混住するボイボディナ自治州の二つの自治州から構成される連邦体であった。南スラブ族のセルビア人、ボスニア人、スロベニア人、クロアチア人、マケドニア人、モンテネグロ人、それにアルバニア人やトルコ人、ルテニア人、ジプシー、ユダヤ人、イタリア人などが複雑に入り組んだ形で混在する多民族国家であった。言語も民族の数だけある。

それぞれの民族の歴史も一様ではなく、被害者対加害者の関係を複雑に絡《から》み合わせている。（島国のわれわれには何度聞いても飲み込めないこのあたりの歴史的背景と事情を知るには、格好の本がある。漫画の神様手塚治虫《おさむ》の一番弟子坂口尚《ひさし》の上梓《じょうし》した『石の花』（講談社漫画文庫）。第二次大戦中のユーゴスラビアを舞台にした内戦と対独レジスタンスを物語る滔々《とうとう》たる大河小説漫画だ。五巻からなる大作で、漫画といっても歴史学者やユーゴスラビアの専門家が太鼓判を押すほど、時代考証のしっかりした本でもある。それよりも何よりも、激動期に生きる人間たちの姿が活写されていて、読み物として抜群に面白いから、ぜひ読んでみてほしい)。

宗教だけでも、正教（これは、さらに細かくセルビア正教、マケドニア正教と分かれる）、カトリック、イスラム教。対独レジスタンスの英雄でユーゴスラビア連邦の生みの親であり、ユーゴスラビア各民族結集のシンボルでもあった終身大統領チトーというカリスマは、すでに亡《な》くなっていた。

つまり、「ポーランド的な好条件が一切存在しないばかりか、正反対の悪条件しか存在しないところで、ポーランドと同じショックセラピーをとったのである」。

「ポーランドの場合、失業者は零から急増し、求職待ちが不安な、しかしながら新鮮な社会的経験として始まったのであるが、ユーゴスラビアの場合、すでに長期にわたって十数パーセント存在していた失業者がショック療法でさらに増えただけでなく、すでに何年間も仕事を待っていた青年達にこれ以上待つことの意味を失わせてしまったのである。マルクス経済学が産業予備群と言うぎりぎりの社会的機能さえ期待されない青年ルンペン集団が出現した」

ここで岩田氏は問いかける。

「きちんとした正業を有する青年達が（野心的民族主義的政治家が募る）私兵組織にリクルートされたであろうか、銃を持って同胞と殺し合うであろうか」

ところで、現時点で資本主義の先進国と称される国々、すなわちG７に名を連ねているような国々の前歴というか生い立ちをたどっていくと、よくもまあ発展途上国に対して「自由と人権と民主主義」をエッラソーに説いているわ、ケッ！　とのけぞってしまう。それほど、残虐《ざんぎゃく》で卑劣なやり方で、自国内の弱者と発展途上国の富を略奪し、そのことによって資本（土地、建物、設備、資金）の一定の階層や人々への集中と蓄積を行なってきた。原初的蓄積というやつである。

インド人を奴隷《どれい》のように酷使してつくった阿片を清国に密輸して、清国の経済と社会を破綻《はたん》させてまで銀を回収し、それに対抗して清国が禁輸などの処置をとると、圧倒的な武力にものを言わせて阿片戦争をおこし、さらなる清国搾取《さくしゅ》と強奪を合法化する不平等条約を結ばせてしまったイギリスなど資本主義国の老舗《しにせ》である。今のような「洗練された」資本主義国になりおおせるのに五〇〇年もかかっている。

未《いま》だに南太平洋に植民地を有し、そこで平然と核実験をやって「安全無害」だとするフランス、アメリカ先住民を根こそぎに近い形で殺戮《さつりく》し、その土地や富を奪い、アフリカから強制的に連行してきた黒人奴隷の労働で社会インフラを整備したアメリカ、ともに現在の「洗練された」資本主義国になりおおせるのに二〇〇年以上もかかっている。

後発のドイツやイタリアや日本は、それにわずか一〇〇年ぐらいしかかけられなかったから、かなり無理をした。ドイツやイタリアのファシズム、日本の軍国主義の狂気は、後発国の焦《あせ》りに他ならない。

それを、社会主義体制が崩壊した国々は、一〇―二〇年のスパンで行おうとしている。今まで「社会的所有」とか「全人民的所有」とか規定されていた富を私有化するための物取り競争が展開される。しかも、「ショックセラピー的体制転換＝資本主義形成の要《かなめ》は、生産手段や資金の急激な私有財産化である。ここに万人の間に、また諸民族の間に、社会的ストック＝国富の分取り合戦が突如開始される。一回限りの私有化ゲームでうまくたちまわった者、また民族は、前より大きな資産のオーナーとなり、そううまくたちまわれなかった者、また民族は、前者に雇われるしかない賃労働者、賃労働民族になる。これは、階級闘争ならぬ階級形成闘争であり、良くてゼロサム・ゲーム、通常はマイナスサム・ゲームである。万人の心中に自分や自民族はこの一回戦しかないゲームで負けるかもしれないという不安感情が急速に上昇する。また、他人や他民族は何か汚い手を使っているかもしれないという不信感情があっという間に人々を苦しめる」

温暖な気候と肥沃《ひよく》な大地に恵まれた風光明媚《めいび》な地中海沿岸の小国で、なぜ「民族浄化」などという身の毛もよだつおどろおどろしい考えに人々がとりつかれたのか、非スターリン型社会主義を模索していたユーゴ連邦がなぜ崩壊し相互殺戮地獄に陥っていったのか、その謎《なぞ》を岩田氏は丁寧にそして大胆に解きあかす。

もちろん未だに泥沼化の一途をたどる紛争の原因は、ＩＭＦの○○のひとつ覚え的なショック療法という名の処方箋だけではない。理想と思われた「自主管理労組」が、資本対労働の矛盾を解消するどころか内在化させた結果、より陰惨になり、連邦末期には同僚殺しが頻発していた事情とか、チトー時代に民族間の怨念《おんねん》が凍結されていたゆえに先鋭化していくプロセスとか、不幸の上にいくつもの不幸が折り重なって生じた事態であることを岩田氏も指摘するところだ。しかし、ショック療法の押し付けが、最初は内戦であった多民族戦争の引き金の重要な一端を担《にな》ったことだけは確実である。

無知の傲慢《ごうまん》、経験主義の狭量《きょうりょう》

視野の狭さ、傲慢な押しつけがましさ、無知ゆえの自信過剰と独りよがり、異なる文化や歴史的背景に対する信じ難いほどの想像力の欠如というのは、はた迷惑も甚だしい。特にそういう精神の持ち主が強大な武力を背景にしているときは、悲惨だ。

こういう精神が生まれ、維持される条件のようなものを、垣間《かいま》みたことがある。

これは、先に述べたモスクワでのロシア経済改革に関するシンポジウムの打ち合わせのときに、気づいて愕然《がくぜん》としたことだ。

シンポジウムに参加した日本側の学者や専門家は皆英語の優れた理解力を持ち、大多数はロシア語の文献の読解力も持っていた。ロシア側から参加した学者や専門家は皆英語をものし、多数の者が日本語堪能《たんのう》であった。ところが、サックス教授を筆頭とするアメリカ側からの参加者は、『ジャパンアズナンバーワン』の著者エズラ・ボーゲルを除いて、ロシア語も日本語もかじったことさえない様子なのだった。しかも、それを恥じ入るどころか、他国からの参加者が英語ができて当たり前という態度である。

どの言語においても、他言語に訳される情報は、その言語によって担われている情報の数百分の、いや数千分の一にも満たない。つまり、ひとつの言語を知るか知らないかによって、その人の情報地図は全く異なる様相を呈すのである。

そのうえ、どの言語も、その言語特有の発想法とか、世界観を内包しているものだ。英語やフランス語などの「国際語」を母語とする人々は、その言語が「国際語」になっていく背景に、多くの植民地を有していたという血生臭い過去を引きずっているにせよ、その通用範囲が広いという意味で、幸福である。

しかし、「国際語」を母語とする国民は、その分外国語を学ぼうとするインセンティブが弱く、実際、かなりの知識層の人々でさえ、外国語を学ばない人が多い。学ぶとしても、同格の「国際語」をかじる。ところが、「国際語」は、前世紀の帝国主義的世界分割にいち早く参加した同じキリスト教文明圏の国々の言語なのだ。地球上の多様な文明を反映するものになっていない。これは、彼らの精神を、とくに異なる発想法や常識に対する想像力を貧しくしている、という意味で不幸でもある。その不幸が彼らだけにとどまっていないのが、もっと大きな不幸である。

そういえば、鯨を食べるのは野蛮だと叫び、漁網を破るイルカを殺す日本の漁師を残虐だと決めつける人々の圧倒的多数は、「国際語」である英語を母語とする人々である。偶然とは思えない。

ユーゴ紛争解決のための秘策

さて、「先進諸国」は、ショック療法の押しつけで旧ユーゴ内戦の発端を作り出したばかりでなく、内戦への介入干渉によって、その解決をさらに困難にすることに加担した。あとになって、

「ボスニア、クロアチアの承認は時期尚早だった」

「セルビア独りを悪者にしたのはまずかった」

と米国の当時政策決定に関わった責任者（ジョージ・ケニー元国務省ユーゴスラビア部次長）は、朝日新聞のインタビューに答えている。

また国連のガリ事務総長は、

「介入は時期尚早だった」

とNATO（北大西洋条約機構）に後を託し、事実上撤退することを宣言した。

冷戦終結後存在価値を失いかけていたNATOは、ここぞとばかりにやたら張り切った。しかし、今までの愚かな経験から少しも学んではいない。特に理解に苦しむのは、なぜセルビア人勢力圏空爆にこだわったのかだ。その空の下で暮らす人々のことを考えると、胸が締め付けられる。

本気で解決する気があるのなら、外国勢力は一切手を引き、爆撃機を用いても良いから、爆弾ではなく、旧ユーゴスラビア内すべての民族の言葉で書かれたビラを空からまいたらよかったのだ。ビラには以下のように記す。

「どうか、心ゆくまで、最後の一人になるまで殺し合ってください。その後に残るだろう領土的空白については、ご心配なく。欧州には、領土不足を感じている国々が山ほどありますから」

第8章　美味という名の偏見

ローマの中国人

私事にわたって恐縮だが、愚妹はイタリアで三年間あまり料理修業をしていたことがある。ある日愚妹がローマからベニスへ向かう飛行機の中で人民服（例の毛沢東ルック）の一行と一緒になった。ちょうどローマで世界食糧計画の会合が開かれた直後のことで、どうやらそれに参加した中国代表団の面々のようだ。

しばらくヨーロッパに住んでいると、やはり西洋人とは異なる東洋人固有の姿形、立ち居振る舞いが懐《なつ》かしく嬉《うれ》しい。空港で一行に出くわしたときから、つい失礼とは知りつつ視線が向いてしまう。中国人のほうも同じ東洋の血が流れているらしい妙齢の女性が気になるらしく、チラッチラッとこちらを垣間見《かいまみ》ている。

機中で、そのうちの一人と席が隣同士になり、すぐさま英語、イタリア語で話しかけてみたものの、通じない。当然の成り行きとして、筆談となった。漢字は東アジア圏の国際語なのだ。

まずは、

「どこから来た」

という話になり、妹は「日本、東京」と記し、相手は「四川省」と書いた。ほとんど反射的に妹は、

「おお！　マーボードーフ！」

と叫びながら、「麻婆豆腐」と漢字で記した。とたんに実直そうな四川省のおじさんは顔をクチャクチャにして体を揺らし、喜びの雄叫《おたけ》びをあげた。

「おお！　マーボードーフ！　マーボードーフ！」

妹も、こんなに喜んでもらえるとは予想だにせず、何か他に四川料理の名前を思い出そうと必死になったが浮かんでこない。仕方がないから、一緒に、

「おお！　マーボードーフ！　マーボードーフ！」

とうなずき続けたのだった。

そのうち、おじさんは何を思ったのか突然立ち上がると、機内の後方に走るように赴いていった。トイレかなと思っていると、はるか最後部の座席のほうで声がする。

「マーボードーフ！　マーボードーフ！」

どうやら、おじさんは同郷の四川人のところにわざわざ、

「自分の隣席の日本娘が、なんとわれわれの郷土料理の麻婆豆腐を知っていたのだよ」

とでも報告に行ったらしい。しばらくすると、二人連れだって妹の席までやってくると、顔面一杯に笑みを湛《たた》え、右手を差し出しながら、

「おお！　マーボードーフ！　マーボードーフ！」

と挨拶《あいさつ》した。妹のほうも、もちろん、その手を握り返しながら、

「おお！　マーボードーフ！　マーボードーフ！」

と応じた。ローマからベニスまでのタップリ一時間、麻婆豆腐で持ってしまったのである。

ナショナリズムとか愛国心とか名づけられる意識の傾向の原初にあるものは、人間誰しもが持っている自分自身の生まれ育った場所、環境に対する愛着である。幼い頃から慣れ親しんできた食べ物は、その人をその人自身たらしめている要素のひとつ、その人の自我の一部ともなるものなのではないだろうか。だから、よそ者から、その食い物を褒めちぎられると、まるで自分の母親を誉《ほ》められたかのように誇らしく嬉しく、けなされるとひどく傷つく。

砂漠の中国人

ＮＨＫの歴史的名番組「シルクロード」シリーズの中に、忘れられない場面がある。一〇年以上前のことなので、記憶は定かでないが、伝説的な幻の湖を求めて撮影隊が砂漠の中を進んでいく。案内役は中国人民軍の兵士たち。砂嵐《すなあらし》で前方が霞《かす》んで見えない中を、何日も何週間も進んでいく。その人民軍の兵士たちも、撮影隊も、らくだも、荷物も、砂におおわれて真っ白である。目の中、鼻の中、口の中、耳の中、衣服の中、あらゆる隙間《すきま》に入り込んでくる砂、砂、砂……食い物も乾いた非常食ばかりになって、何週間たったろうか。

あるとき、一行の前を鹿《しか》が一頭走り抜けた。すかさず、人民軍の兵士が矢を放ち、見事射止める。

たちまち兵士たちは、まな板を取り出し、包丁を研ぎ、火を起こし、鍋《なべ》に湯を沸かしと、テキパキと動き出した。

砂漠のど真ん中、男ばかりの集団。こんな時、ふつう考えられる料理は、丸焼きか鍋ぐらいではないだろうか。

ところが、兵士たちは、小麦粉を水でといてこね始め、トントントントンと包丁の規則的な音を響かせて、鹿肉をたたき出したのである。瞬《また》く間に、こねた小麦粉から円形の皮を作り出し、たたいた肉を詰めていく。

そう、わが目を疑ったものだが、彼らが湯が沸き立つ鍋に次々と放り込んでいったのは、餃子《ぎょうざ》なのである。

ああ、中国四〇〇〇年の歴史。この場面を見たときほど、料理とは、生活習慣体系の一脈を成すという意味での文化なのだなあ、ある民族がまさにその民族であることの証《あかし》のようなものなのだなあと、心が揺さぶられる思いをしたものだった。

地球上には、実にいろいろな民族が棲息《せいそく》しているけれど、こんな時こんな状況下で、餃子のような手の込んだ料理をつくる民族が、中国人以外に考えられるだろうか。

そして、子どもの頃、近所に戦後満州から引き上げた人たちがまとまって暮らしている長屋があったのを思い出した。お正月が近付いてくると、そこの女たちは、今日はAさんの家、明日はBさんの家、明後日はCさんの家と、順繰りに集まって、大量の餃子をこしらえていくのだった。できあがるとビニール袋に詰めて冷凍庫に入れておく。お正月は、客が来ると、凍った餃子を沸騰《ふっとう》した湯の中に放り込むだけでよいから、主婦は台所仕事から解放される。この餃子が本当に美味《おい》しいものだから、わたしは何かと理由を作っては、お正月にその長屋をたずねたのだった。

おそらく、生まれも育ちも中国東北地区の人間が、故郷から遠く離れた土地で正月を迎え、おふくろや家族を想《おも》うとき、真っ先に心に浮かべる食べ物は、餃子だろう。

北京《ペキン》―モスクワ国際列車の旅

餃子といえば、「北京―モスクワ九〇〇〇キロ、餃子のルーツを探る」というテレビ番組の取材に、通訳として同行した件については、前に触れた。

一九八三年夏、TBSテレビが企画した旅番組で、一か月かけて北京→瀋陽《シエンヤン》→長春《チヤンチユン》→ハルビン→満州里《マンチユーリ》→ザバイカルスク→イルクーツク→ノボシビルスク→ヤロスラーブリ→モスクワというルートで途中下車しながら鉄路を進み、いく先々の料理を楽しむ、そして必ず餃子を食べるという主旨だった。

朝、昼、晩と出される料理の毎回美味で多彩なのに圧倒されながら、

「星は輝き、花は咲き、イタリア人は歌い、ロシア人は踊る」

という名文句があったが、これに続けて、

「中国人は料理する」

と書き加えるべきだと思った。中国人がその知識と才能とエネルギーと情熱を最大最高に発揮する分野は、音楽でも、絵画でも、舞踊でも、芝居でもない。間違いなく料理だ。

北京―モスクワ国際列車に乗った後、その意をさらに強くした。

レールの幅がソ連領に入ると広くなる。だから中国側満州里、ソ連側ザバイカルスクという二つの国境駅の間で、クレーンでもって車体を幅狭車輪から切り放して持ち上げ、前方ソ連側レールの上で待ちかまえる幅広車輪に載せ換える。そのとき、食堂車だけはスタッフもろとも完全に新しい車両に入れ替わることになっている。


この作業中、旅客は車外に出て通貨の両替や国境越えにともなうパスポート審査や税関審査を受ける。ようやく再び列車に乗り込むことを許され、国境駅を出発するまで、二時間も待たされたろうか。お腹《なか》が空《す》くのに十分な時間だ。さっそく食堂車に赴いたのだった。熱々のボルシチを思い描いて胸躍らせながら、一〇以上の車両を越えて達した食堂車の扉の張り紙はブッキラボウだった。

「開店はモスクワ時間一〇時」

てことは現地時間一四時、あと二時間もかかるというのだ。閃《ひらめ》くものがあって、扉をドンドン叩《たた》いた。扉枠をどうやって通過するのか、どう考えても不可能に思える巨体のおばさんが扉を開けた。

「予約を入れときたいんですけど」

「一〇時の予約は満席よ。六人ですって？　一二時まで無理ね」

案の定である。無愛想この上ない対応は、正真正銘のソ連のウェイトレスの証で、

「ああ、ついにソビエト領内に入った」

と実感したものだ。こちらの氏名をノートに書き込むと、ガシャリッと扉を閉めた。トボトボと仲間とともに元の車両に引き上げながら、

「もしかして、彼女は、もう少し痩《や》せている時に食堂車に入って、中で食べ過ぎて太ってしまい出られなくなって、それ以来ずっと中に住んでるんじゃないか」

「いや、そうなると、トイレはどうしてるんだろう」

などと空想して腹いせをした。

それにしても悔やまれた。同じ車両のハンガリー人の旅慣れた青年が、

「ソ連領に入ると食事事情が悪くなるから、中国領にいるうちに食堂車でかんづめ買い込んどいたほうがいいよ」

と親切に忠告してくれたのに、なぜ意にとめなかったのか。満州里駅の食堂に立ち寄

らなかったのが、一生の不覚に思われた。そういえば、中国の食堂車は発車と同時に開店した。食堂車に入りきれない場合は、コンパートメントまで出前サービスをしてくれた。それも注文して一五分以内に。あのタンメンのうまかったこと……。いつまでもいつまでも同じ草原が続く単調な窓外の景色を眺めていると、時間が止まってしまったかのようにも思えた。だが、

「それでも地球は回っている」

いみじくも異端審問にかけられたガリレオ・ガリレイが心の中でつぶやいたとおり、予約の時間はやってきた。

中国型とサイズがさほど変わらないはずのソ連型食堂車に入るなり、異様な光景に唖《あ》然《ぜん》とした。車両の五分の一を占めるテーブルや椅子《いす》の上にビッシリと荷物が積み上げられていた。何たる理不尽！　あれだけ客を待たせながら、有効な面積を無駄遣いしているとは。

客が入れ替わるたびに、例の巨体が汗をかきかき使用済みのテーブルクロスとナプキンをひっぺがし、荷物の山のほうへ赴いてテーブルの下の隙間に転がる大きな麻袋に突っ込み、山の上のほうから真っ白なテーブルクロスとナプキンを取り出して来て、先のテーブルのメイクをしなおす。中国の食堂車のテーブルは、ビニールクロスだから給仕が前の客のあと片づけをしながら、汚れをサッサッサッと濡《ぬ》れ布巾《ぶきん》で拭《ふ》き取るだけでよ

かった。

次にウェイトレスは、ナイフ、フォーク、それに大小のスプーンをガシャガシャいわせながら運んできて一人一人の前に型どおりに並べた。中国の食堂車では、各テーブルの背の高いコップに洗った箸《はし》がギッシリ入れてあって、客が自分で取ればよかった。

それでもメニューは、なかなか品目が多いので、久しぶりのロシア料理、一同少々興奮しながらそれぞれの選択を果たした。

「彼はウクライナ風ボルシチ、この人はきのこスープ、彼女は鳥の澄ましスープで、わたしはソリャンカ……」

「モーッ、注文する前に、その料理がそもそもあるかどうかを確かめてくれなくちゃ困るじゃないの」

ウェイトレスの悪い機嫌をさらに損ねてしまった。

「すみませんでした。ところで、何があるのでしょうか」

「前菜はビーツ（砂糖大根）のビネグレット（酢の物）、スープは鳥肉入りヌードル・スープ、メインはビーフ・ストロガノフ揚げじゃが芋添え、デザートはコケモモのムースしかないの」

いやなら出てけと言わんばかりの剣幕だ。

「そっそれを六人前お願いします」

「飲み物はどうすんの」

「なっ何があるのでしょうか」

意外なことに、飲み物はソフト・ドリンク類から赤白ワイン各種、ウォトカ、コニャックにいたるまで一通りそろっていた。注文を聞いたウェイトレスは車両の端の山のほうへいくと、モゾモゾと中に手を突っ込んで目当ての瓶を取り出す。どうやら瓶の詰まった木箱は、テーブルクロスとナプキンの山の下に積み重ねられているのだ。

西洋料理はなぜこうも食器の種類が多いのかと、今更ながらたまげた。列車食堂という限られたスペースだから略式ではあるのに、飲み物用だけでもジュースやミネラルウォーター用のコップ、ワイングラス二種、ウォトカなど強い酒用グラス、紅茶用受け皿付きカップ、コーヒー用受け皿付きカップ。食事用には、前菜用中皿、サラダ用小ボール、スープ皿、ブイヨン用カップ受け皿付き、メイン用大皿、デザート用小皿等々。かさばることこの上ない。テーブルだって大きくなってしまう。

中国のほうの列車食堂は、飲み物用にはミネラルウォーターにもビールにも共通のコップと、茶を飲むための小ぶりな湯飲みだけ、食事用には、ご飯用にも汁用にも使える茶碗《ちゃわん》、麵類《めんるい》用のドンブリ、それに大皿と取り分け用の小皿だけ。感動的にシンプルである。

狭い厨房《ちゅうぼう》を覗《のぞ》くと、調理器具においては、この傾向がさらに著しい。フライパンにオーブンにミキサーに肉挽《ひ》き器に大中小、底浅、底深の鍋がズラリと並び、フライ返しや泡立て器やお玉やネットや色々な型の包丁など名前も覚えられないほど無数の器具でいっぱいなのはソ連車の厨房。中国車の厨房は、スープのだしを取るための大型底深鍋と中華鍋とお玉、ザル、蒸籠《せいろ》、それに長方形の包丁一種類と切り株型のまな板だけだ。

北京の革命博物館で見た、毛沢東率いる八路軍の兵士の写真を思い出した。足首に巻いたゲートルにお玉を差し、背嚢《はいのう》の上に中華鍋をのっけていた。キャプションに、この格好で長征を成し遂げたとあった。

気も遠くなるほど長い中華料理の発展過程で、おそらく食器も調理器具もドンドン余計なものがそぎ落とされていった結果なのだろう。この極限にまで簡素化された器具類で調理され、食器で供される食材の多様多岐にわたること、驚嘆して余りある。中国人は、まぎれもなく、地上でもっとも食域の広い生き物だろう。

「中国人が食わないのは、地面を這《は》うものでは自動車だけ、空飛ぶものでは飛行機だけ、水中を泳ぐものでは船舶だけ」

という喩《たと》えが言い過ぎでないほど、ありとあらゆるものを偏見を捨て差別しないで等しく食の対象として見る勇気と好奇心と貪欲《どんよく》さには、何か人類を代表してヒトの食域拡大に邁進《まいしん》する開拓者のような神聖なものを感じる。

料理そのものに、料理をつくる器材でも、料理を盛る器でも、料理を食すときのマナーでもなく、ひたすら料理そのものに集中していく形で、中華料理は発展を遂げた。その歴史的、国民的なそういう情熱のあり方にタジタジとなってしまう。

マナーも無礼講というのがいい。ひたすら料理を味わうことに集中するよう促す仕掛けになっている。パール・バックのピュリツァー賞受賞作『大地』には、客を招いた主人が、まずこれ見よがしにテーブルクロスに料理をこぼして、

「ほれ、この通り、いくら汚しても構いません。気楽にやって下さい」

と合図する風習が紹介されている。和食やフランス料理のように肩ひじ張って勿体《もったい》ぶって食べるのが野蛮に思えてくるから不思議だ。

さらに、調理方法についても、一応専門家の愚妹によると、

「日本料理などは、ほとんど日本の食材を用いないとつくれない、いわゆる調理法が素材依存型であるのに対して、中華料理は大変抽象度が高い」

というのである。つまり世界中どこの国へ行っても、そこの食材に適応できる普遍性を持つものが多いそうだ。もっとも、中華料理の極意は何でも食の対象にしてしまうことだから、調理法の普遍性と抽象度が高まるのは当然の成り行きではある。

そういえば、地球のアチコチずいぶんいろんな国を訪れたが、都に中華料理屋の無い国は、まだ行ったことがない。

モスクワの中華料理、ハルビンのロシア料理

中ソ論争が最も激烈だった頃のモスクワにさえ、市心部の一等地に、「北京飯店」があった。中ソ蜜月《みつげつ》時代は中国人コックが腕を振るったというが、もちろん六〇年代から八〇年代前半までは全員引き払っていて、ロシア人コックによる品々は、ロシア風中華料理というよりも、中華風ロシア料理と呼ぶべき代物《しろもの》だった。

それでもモスクワに長逗留《とうりゅう》していると、醤油《しょうゆ》の味が無性に懐《なつ》かしくなり、ついフラフラッと立ち寄ってしまう。味には失望させられることのほうが多いのだが、行く度に、笑ってしまうことがある。中華料理（であると少なくとも店のロシア人は真剣に信じているらしい）を、ロシア料理のフルコースの順番で給仕するのである。最初に前菜。これは、いい。中華料理も冷盆が筆頭だ。次に汁物、魚料理、肉料理＆ご飯、デザートという順序なのである。

そして、中国東北部は黒竜江省の省都ハルビンを訪れた際に、かつてロシア人租界《そかい》があったこの都市ならばと立ち寄ったロシア料理屋でそっくりな経験をした。ハルビン市一番の評判どおり、味はいい線を行っていたのだが、料理の出し方が完璧《かんぺき》に中華風なのである。

最初にキャビアとか、塩漬けニシンとか、ピクルス野菜などの前菜を出してくるのは、ロシアもそうだから問題ない。次が、スズキの野菜煮とかキーエフ風鳥のカツレツとか、

ビーフ・ストロガノフとか七種類ものメイン・ディッシュが大皿に載せられて次々と運ばれてくるのだ。小皿に取り寄せて食べるようになっている。最後にようやく黒パンとボルシチが出たのだった。

料理を食べる順序というのは、どうやら食習慣を構成する各要素のなかでもかなり頑固な部分のようだ。ロシア人にしてみれば、別名ペルヴィ（ファースト・ディッシュ）とさえ呼ぶスープを最後に食すなんて、そして中国人にしてみれば、最後の〆《しめ》の汁物を最初に食すなんて、天地が逆転し、太陽が西から昇るほど、道理に反し、気分が落ちつかないのだろう。

そして、こと食材と料理に関しては、偏見と無駄を徹底的に剝《は》いでいるかに見えた中国人が、こんなところでしっかりと型にはまった行動様式に縛られているのが微笑《ほほえ》ましくなった。

ベニスのアメリカ人

さて、愚妹の修業先は、ベニスの「ハリス・バー」という店だった。例の誇り高いフランスの「ミシュラン」が、イタリアで最初に星を二つ付けたという、なかなか有名なレストランである。ベネチア・サミットのときに料理を担当したことからも分かるように、最高級のイタリア料理店だ。

ヘミングウェイが足繁《しげ》く通ったことでも知られる店だから、一種の観光名所でもあるせいか、アメリカ人の観光客がよく訪れる。

大方のアメリカ人は、店のメニューにひととおり目を走らせた後、給仕にむかって、たずねるそうだ。

「ところで、この店には、ハンバーガーもないのかね」

これはこれで、他国や他文化に対して劣等感ゼロのアメリカ人らしく、なかなか爽快《そうかい》。西欧文明に対して「追いつけ追い越せ」精神でやってきた日本人は、なかなかこうはいかないだろう。

「こんな場合、フランスの格式高いレストランだったら、鼻先でせせら笑うようにして、慇懃《いんぎん》無礼にお引きとり願うでしょうね」

と言うのは、愚妹。

「イタリア人は、そんなとき、凝りに凝った最高級のハンバーガーを作って、供すの」

隣国ながら、それぞれの国民性を反映して、誇りのあり方が違うんである。

ちなみに、あくまでも仮説に過ぎないが、美味美食が盛んな国、一般国民が料理に多大な関心をはらい、膨大なエネルギーを費やすのは、封建制度が比較的長く続いた国々である。中国、フランス、イタリア、日本……いずれも、それに当てはまる。

そして逆に、一般的に「料理がまずい」と言われている国々、すなわちイギリス、オランダ、スイスなどは、いずれも資本主義が他国に先駆けて芽生え、発展した国々である。

美味美食のような「非生産的な消費」と「時間の浪費」に走らなかった国民のほうが、資本主義的生産様式が形成されるために必要な富の蓄積をより迅速に、より効率的に成し得たのではないだろうか。「料理がまずい」ならば、美食の誘惑に負ける危険は、より少なくなるというわけだ。

ところで、わたしがこんなふうに「イギリスは料理がまずい」とか「オランダ人は味覚音痴だ」と決めつけた言い方をすると、料理専門家のわが妹は、ひどく怒って、わたしをたしなめる。

「どの国民の味覚も、地域的風土、気候などの自然条件、歴史的経緯などに根ざした長期にわたる生活習慣の一部を成す食生活から生まれるものだから、そういう条件がことごとく異なる国民が、一方的に他国民が美味《おい》しいと思って常食している料理を『まずい』と決めつけるのは、実に傲岸不遜《ごうがんふそん》で聞き苦しい」

と言うのである。

先ほどから「料理がまずい」をカギ括弧にいれてきたのは、そんな事情からである。

ビシュケクの日本人、東京のキルギス人

理屈の上では、妹の言うことが正当と分かっていても、実際に異国を訪れて、食べ慣れぬ料理を「まずい、食えない」と感じるのも、またどうしようもない、まぎれもない事実なのである。

天山《テンシャン》山脈のふもとに、キルギスタン共和国という国がある。「草原情歌」に、

はるか離れたそのまた向こう、
誰にでも好かれる
きれいな娘がいる……

とうたわれた、中国側から見ると、「そのまた向こう」すなわち天山山脈の反対側に位置する。一九九一年、ソ連邦の崩壊によって独立した、かつてソ連邦の一部を構成する連邦共和国だった国。最近、首都ビシュケクを、通訳の仕事で二年連続訪れる機会があった。ここの政府の信頼を一身に集め、国の元首アカーエフ大統領の最高顧問、中央銀行顧問、国立ビシュケク総合大学名誉教授などの要職についている日本人がいる。日銀の参与で、現在当地の日本センター所長をつとめる田中哲二氏。

一度目のビシュケク訪問時、田中氏が歓迎の意を込めて、

「ここで一番うまい中華料理屋」

なるものにご案内くださった。

そこで出されるあらゆる料理が、肉炒《いた》めも、野菜炒めも、チャーハンまでもが、溢《あふ》れんばかりの羊のあぶらの海の中に浸《つ》かっているようなのを見て、わたしは完全に食欲を失ってしまったものだ。そして、この地で一年以上も単身赴任を続ける田中氏の健気《けなげ》さに感じ入って涙が止まらなかった。

二度目にビシュケクを訪れたとき、田中氏は、

「前回よりも、さらにうまい中華料理屋が、最近できたんですよ」

と嬉《うれ》しそうに案内してくださった。

ところが、ここでもまた、頼んだチャーハンはギトギトしたあぶらの海の中。

「キルギス人って、からっきしチャーハンというものが分かってないのね！　チャーハンのご飯は、パラパラ、サラサラっというほど乾いていなくちゃ。あたし、断然厨房に行く。行って、コックさんに本当のチャーハンってのを作って食べさせてみせるわ」

ついにわたしは息巻いて、厨房に向かおうと立ち上がった。

ところが、大統領最高顧問は、おなかを抱えて椅子《いす》から転げ落ちんばかりに笑いこけている。

「ハハハハ、このあいだキルギスの銀行家を日本に連れていき、東京の中華料理屋に

案内したら、あんたの今の台詞《せりふ》とソックリ同じことを言ったよ。『日本人は、全くチャーハンというものが分かってない！　チャーハンのご飯は、タップリとした油の中にひたひたに浸っていなくちゃならんのだよ。断じて油をケチっちゃいかん！　オレを是非とも厨房に入れてくれ。コックさんに本物のチャーハンってのを作って食べさせてみせようじゃないか』ってね」

いうまでもなく、厨房へ押し掛けようとするわたしの意気込みは、たちまち萎《しぼ》んだ。

第9章　悲劇が喜劇に転じる瞬間

モスクワのベトナム人

「ああ、また、ベトナム人ですよ」

モスクワ郊外のシェレメチエボ国際空港まで見送りに来てくれた日本大使館のT書記官は舌打ちした。

「モスクワには、ここ以外に国内線用に三つも空港があるんだから、ハノイ便は、そちらに回せばいい！　そう僕は前から言ってるんですよ」

やりきれないという気持ちが顔にも声にもにじみ出ている。

一九九〇年八月、財政金融関係の研究所のロシア・東欧視察に通訳として同行したわたしは、その年すでに四回目のモスクワ訪問であり、したがってシェレメチエボ国際空港も入国出国合わせると八回目の利用ということになる。その間、前年までには特に気にもとめなかった異変が、たしかにこのソ連邦首都の外国に対する玄関口で起きていた。搭乗便の離陸二時間前に空港に到着しても、飛行機に乗り遅れてしまうような、極度の混乱状態が空港全体を席巻《せっけん》していたのだ。

そして、大事をとって四時間前に空港に着いた当日のわたしたちの目前で展開されていた光景も、大蔵省から出向したというT書記官の嘆きを裏付けるものであった。

その光景を描写する前に、シェレメチエボ国際空港の仕組みを説明する。

シェレメチエボに限らず、ソ連の空港は、出国の際、五つの関門を、次の順序で通過しなくてはならない。

まず、税関。もともと社会主義体制を維持するという名目のもとに一種の鎖国を国是としていた国であるから、ここの税関は情報の伝達手段である出版物や、経済を錯乱させうる外貨や物品の出入りには異常なほど神経質に目を光らせる傾向があった。一九八五年にゴルバチョフが始めたペレストロイカも末期に当たる一九九〇年頃には、この税関の対応にも目立った変化が起こる。

今までは表の「計画経済」を立派に補完していたものの、あくまでもヤミ経済として「日陰の」存在だった市場経済が公《おおやけ》に認められ出して、それとともに需要と供給のアンバランスを人工的に作り出して儲《もう》けようとする輩《やから》がウヨウヨ出てきた。商品を買い占めて値をつり上げるという単純にして古典的な方法だ。企業は企業で出し惜しみの値上げ待ち。物価の急騰《きゅうとう》と超インフレで貨幣に対する信頼は地に落ち、人々はさしあたって不要なものでも、買いだめする、そして物々交換で必要なものを手に入れようとする。当然商店の棚は何処《どこ》も空っぽになり、極端なモノ不足が、モノの価格と人々の心の中に占めるモノの価値、すなわち物欲を、いやがおうでも高めていくのだった。

このような当時の国内経済の状況を反映して、税関はソ連への商品持ち込みには寛大に、持ち出しには過度に厳しくなっていた。

次の関所は、航空会社によるチェック・イン・カウンターである。エアー・チケットをもとに搭乗券を発行し、手荷物の重量をはかり、許容限度を超えている場合は、エクセス料金を支払うか、減量するしかない。

三つ目の関所がパスポート&ビザ検査である。国家保安委員会(略称KGB)傘下《さんか》の国境警備隊の、頰の赤い若い兵士が、そのあどけなさのまだ残るひとみで旅券の写真と実物とを何度もしつこく往復する。もうこの国を出られなくなるのでは、という不安が頭をかすめる頃、ガチャリという音とともに金属製の「踏切」が開けられ、出国ロビーに出される。

四つ目の関所は、ハイジャック検査。機内持ち込み荷物は、レントゲン検査を、人間も金属探知機のついたゲートをくぐらされる。

最後の五つ目の関所の搭乗口にて搭乗券のチェックをされて機内に入るという順序だ。

さて、一九九〇年八月の当日に話をもどす。空港にわたしたちが到着したとき、そこは、第一関門の税関検査のために並ぶ人々の行列が空港の建物の外にあふれるほどであった。税関カウンター前には、細身で小柄なベトナム人たちが、その体の二〇倍はあるだろうと思われる荷物を両手両脇《りょうわき》さらに手押し車に山と乗せて並んでいる。見送りの人たちも同行していて、大声を張り上げてしきりに別れを惜しんでいる。

ベトナム戦争のとき、ソ連をはじめとする社会主義陣営は北ベトナムを支援した、とわたしは思っていた。この支援はどうやらカギ括弧付きだったのだと気づいたのは、実はこのときだった。この「支援」の見返りとして、ベトナム政府はその後、労働力不足に悩むソ連、東欧諸国に長期にわたって、自国民を派遣することで労働力を提供し続けた。ベトナム戦争の終結は、一九七五年である。一九九〇年の時点にいたるも、ベトナムの「借金返済」は続いていたことになる。

もちろん、ベトナム人労働者は無償で働いたわけではなく、相応の賃金を支払われていた。それを貯《た》めて、帰国の際は、目一杯商品を買い込んで行くのだろう。それにしても、このモノ不足のソ連で、どうやってこれだけの商品を手に入れたのか。そのたくましさにはぶったまげた。

それはさておき、税関カウンターを通過するとき、ふつうパスポートと税関申告書を提示して、税関吏の質疑に応じ、求められれば手荷物を開けて検査に応じなければならないのだが、彼らは、そこにあたかも関所など存在しないがごとく振る舞う。税関吏の制止も無視して、天井に届かんばかりに段ボール箱を積み込んだ手押し車を押して通り過ぎ、一五メートルほど離れたチェック・イン・カウンターへ向かおうとする。小柄で胸板が紙きれのようなベトナム人に較《くら》べると、雲を突くようなロシア人の大男の税関吏が、

「戻れ！　戻らんと、撃つぞーっ」

と怒鳴ろうとも、馬耳東風、完全に無視して突き進む。税関吏は顔を真っ赤にして怒り狂いながら毛むくじゃらな太腕で、ベトナム人の襟元を背後からひっつかみ、カウンターに引き戻す。そのはずみで手押し車の段ボール箱の山が崩れ、そこらじゅうに散乱する。その間に別なベトナム人が税関の前を通り過ぎようとする。それを別な税関吏が追いかけていって、引き戻す。大声を張り上げて抵抗するものの、そこは体力差がモロに出て床を引きずられるようにして連れ戻される。床を引きずられようと、手荷物を離そうとしないから、トランクは開き、箱は破れて中味が転げ落ちる。それを嘆いて、引っ張られながらベトナム人は悲鳴をあげる。見送り人が、同胞を応援しようと、ピーピーキャーキャー大騒ぎする。そのうち本来出国者以外入ってはならないゾーンにどっと入ってくる。それを止めようと、税関吏たちも総動員態勢で必死の形相。その間隙《かんげき》をぬって次のベトナム人が抜け出す。

さて荷物の中味は、折り畳み傘が数え切れないほど入っていたり、同じ種類の玩具《おもちゃ》ばかりだったり。当時のソ連の税関規則では、たしか同種の商品が五点以上ある場合は、個人使用という目的を超えて商売用とみなされ、輸出税を徴収されることになっていたはずだ。支払わなければ商品は没収。

そういう検査に一人が引っかかっている間に、次々と段ボール箱の山が税関カウンターの前を通り過ぎていく。それを制止しようとする税関吏の怒号、床を引きずられて連れ戻されるベトナム人の悲鳴、見送り人の罵声《ばせい》と応援が税関とチェック・イン・カウンターを隔てる幅一五メートル長さ八〇メートルほどのフィールドに鳴り響いていた。そのフィールドには、段ボール箱とその中味が散乱し、逃げまどうベトナム人、それを追うロシア人、つかまってもみ合うベトナム人とロシア人、引きずられるベトナム人と引きずるロシア人という三パターンの組み合わせが、あちこちで生じていた。まさに、阿《あ》鼻叫喚《びきようかん》の地獄絵巻のような光景である。

地獄絵巻の続編は、チェック・イン・カウンターとパスポート審査カウンターの間で展開されていた。重量オーバー料金を払おうとせず、明らかに機内持ち込み手荷物の限度を超えた荷物を抱えて通過していくベトナム人を制止しようとグラウンド・パーサーがキーキー金切り声をあげる。こちらは女性だから、相手の首根っこひっつかまえて連れ戻すという手は使えない。そういうのが、次々に押し寄せてくるのだ。

不思議なことに、軍人であるはずの、したがってピストルを携帯している、パスポート&ビザ審査の少年兵たちは、この事態に素知らぬ顔を決め込んでいる。ソ連ほどの縦社会はない！　というのが、このときの実感だ。

まあ、わたしの筆の力では到底伝え切れないような、すさまじいシーンを前に、他の乗客は、ただただ台風が通り過ぎるのを待つしかない。便に遅れてしまうと、焦《あせ》りまくってわめき散らす客。不運を嘆いて神と悪魔を呪《のろ》う客。ブツブツと愚痴る客。税関にかけ合おうと行ったものの、徒労に終わった客。ベトナム人を罵倒《ばとう》する客。とっくにあきらめて、運を天にまかせてしまった風情《ふぜい》の客。そんな乗客が溢《あふ》れかえっていた。わたしたち一行も、相当イライラした。いつまでこんなふうに待たされるのかも分からない。一同の顔は不機嫌一色。

そのときだった。近くにいたロシア人の話し声が聞こえてきた。

「イヤーッ、ベトナム人ってのは、大したもんだぜ。あれじゃや、アメリカが負けるわけだわなあ」

これには、わたしも、わたしの訳を聞いた日本人一同もドッと笑い転げて、一気にイライラを解消してしまった。

すっかり気持ちがリラックスして、事態を楽しむ余裕さえ生まれ、待たされるのが少しも苦痛ではなくなってきた。

「木を見て森を見る」――窮地に陥ったとき、事態を突き放して大局的に見る。すると、悲劇が喜劇に転ずる。そんな心の余裕を失わないロシア人を、心底尊敬し、一層好きになってしまった。

シベリアのフランス人

シベリア旅行から帰ったフランス人が仲間相手に自慢話をする。

「真夜中、密林の中を馬橇《ばそり》で移動中のことだった。明かりと言えば、御者の手元のアルコール・ランプだけだ」

「漆黒の闇《やみ》というわけだな」

「そうだ。その真っ暗闇のなか、キラリと光る点がペアになっていくつも現れた。群を成してオレたちの乗る馬橇を追いかけてくる。思ったとおり、『狼《おおかみ》だ』と御者がささやいた」

「狼の瞳《ひとみ》が輝いていたわけか」

「そうだ。オレはおもむろにピストルを取り出し弾を詰め込み、心を落ちつけるために十字を切った。狼たちの中でもとりわけデカいヤツに狙《ねら》いを定め、二つの瞳の中間点めざして発射した」

「命中したのか」

「もちろんだ。そいつは、倒れ、他の狼どもは競って仲間の屍《しかばね》に群がった。その間にオレたちの橇は先へ進んだ」

「なるほど、それで逃げおおせたわけだな」

「いや。しばらくすると、また狼どもの光る瞳が橇に伴走するように追いすがってくる。仕方がない。オレは再びピストルを取り出し、狼どもの一匹の脳天に弾をぶち込んでやった。やつらが倒れた仲間の肉をむさぼる間に、橇はさらに先に進んだ」

「それで、逃げおおせたのか」

「いや。シベリアの密林はブローニュの森とはわけが違う。果てしないのだよ。まもなく、橇は再び狼どもの不気味な瞳に取り囲まれた」

「それで、また、そのうちの一匹を撃ち殺して、他の狼の餌食《えじき》にしたんだな」

「察しがいいな。まあ、そんな風にして、一匹撃ち殺しては狼どもとの距離を開け、その距離を縮められては、一匹撃ち殺すという具合にして、何とか突き進んでいったんだ。まるで綱渡りのようなもんだ」

「それで、一体最後はどうなったのかね」

「まあ、落ちついて聞いてくれ。二〇発も使い果たし、弾も後一発しかないとなった頃、ああやっと、狼どもも、もう追いかけては来ないと安堵《あんど》しかけたときだった。光る瞳のワン・ペアが、手を伸ばせば届くような距離に迫ってくるではないか。そいつは、今まで撃ち殺した狼の中でも、恐ろしくどう猛で飛び抜けてデカいヤツだった。あんなデカい狼、オレは生まれて初めて見たね」

「そりゃ、デカいだろうよ。あんたが撃ち殺した二〇匹の狼、全部そいつが食っちまった計算になるからな」

これは、アシミール社の“French Without Toil”（楽々フランス語）という名のテープつきフランス語学習教材に出てくる小咄《こばなし》。アシミール・メソッドは、語学学習のようなしんどい営み、笑い無しでやってけるか、てな乗りで、終始一貫徹頭徹尾ニタニタケタケタさせてくれる教材作りを基本にしている。

遠近法のすすめ

さて、この笑いのとり方も、お気づきのように「木を見て森を見る」方法を取っている。カメラで言えば、ズームインからいきなりズームアウトして、全体を見渡す方式。時間的間隔も、一瞬一瞬ピッタリと寄り添っていく方法から、突如グーンと時間的スパンを思いきり長くする。すると、やたらおかしくなるのである。ロシア人の得意とする小咄の実に五分の一は、この突如ズームアウト方式をとっている。

いまわの際《きわ》のニキータは、長年連れ添った妻を枕元《まくらもと》に呼び寄せると、最後の力を振り絞って、たずねたのだった。

「マリア、世話になったな。オレも浮気を重ねてお前には苦労をかけた。許してほしい。ところで、これで最後だから、ぜひとも本当のことを言って欲しいんだ。実は、薄々気がついてはいたんだ。末っ子のイワン、ありゃ、オレの息子じゃないんだろう」

「あんた、悪かったわ、心配かけて。許してちょうだいね。もうすぐ神に召されるあなたですもの、そんな人に嘘《うそ》を言っても始まらないわ。本当のことを言いましょう。末っ子のイワンは、誓って言うわ。正真正銘のあなたの息子。ただね、上の五人は全員、あなたの子じゃないの」

ロシア人はこの方法がことのほか得意だから、この手の小咄がゴマンとあるのか、それとも、この手の小咄に日頃鍛えられているから、日常生活の言動にもこの手法が息づいているのか、言い定めにくいものの、相乗効果があるらしいのは間違いない。

ロシアにおいて、インフレがハイパー・インフレに限りなく近づき、通貨ルーブルの対ドル・レートが暴落を続ける一九九三年、市場経済における金融制度について学ぶため日本に研修にやってきた経済関係官庁や国立銀行の職員グループがあり、わたしが通訳を務めた。

一週間、座学で概論を修めた後、各種金融機関の現場を回って、説明を受け、質疑応答のなかで、疑問点を明らかにしていく。

長期信用金融機関を訪れたときのこと。

「ここは、貸付部と言いまして、本行の業務の中でも、中心的役割を果たしているところであります」

と外国人にこんな説明をするのは初めてという謹厳実直が背広を着たような銀行マンが、緊張のあまり汗をかきかき懸命に説明につとめる。当然わたしも真面目《まじめ》に通訳する。

突然、ロシア財務省の局長が手を挙げてオズオズとたずねる。

「あのー、質問してもよろしいでしょうか」

「どうぞ、ご遠慮なく」

「では、うかがいます。あそこにある白い入れ物は何でしょう」

「はーっ？」

銀行マンは首を傾《かし》げる。局長の指先が指し示すのは、何の変哲もない屑籠《くずかご》である。

「これは、屑籠です」

「その屑籠は、何のためにあるのでしょうか？」

銀行マンは、腑《ふ》に落ちない顔をして、わたしをにらみつける。明らかに、わたしが誤訳をしたのではないかと疑っている目だ。それでも、気を取り直して、あくまでも誠実に答える。

「屑籠というのは、ゴミや業務上生じる、不用になった書類などを捨てる入れ物のことです」

「すると、ルーブル紙幣なんてのも、ここに捨てるわけですね」

銀行マンはしばし絶句した後、ロシア人一行とともに笑い転げた。こうして、コチンコチンに緊張していた銀行マンはすっかり肩の力を抜き、以後彼の説明は驚くほど面白くなった。

第三の眼の効用

対象との距離を至近から一挙に退《ひ》いていく方法は、対象ベッタリから、突如対象を突き放して、当事者でも、その相手でもない、第三者の目で捉《とら》えようとする試みで、その落差が笑いを生む。

そして、自分を、あるいは自国民をカリカチュアライズできる国民、自分と自国民を突き放して第三者の目で見据え、自己の欠点を笑うことのできるほどに成熟した国民は、余裕がある。しなやかで強い。その方面に優れた素質を示した民族と言えば、愚見では、ユダヤ人(試みにユダヤ・ジョーク集を一読されるとよい)、それに、イタリア人とロシア人ではないだろうか。

ところで、笑い飛ばすための方法としてだけではなく、ものをしっかりと見定めるためには、相対立する両当事者の二つの視点に加えて第三の眼が不可欠であることを、人類はずいぶん昔から気づいていたようだ。

たとえば、国家権力のような、多数の人々の運命を左右し、弱者の権利を侵害しがちなやっかいな必要悪ともいうべき代物《しろもの》については、複数の相互に独立した機関に分けて分担させるべきだとする権力分立論が、古代ギリシャのアリストテレスの複合政体論あたりから主張されてきたことは、よく知られている。それが、周知のとおり、近代へ向かう絶対王政克服のプロセスのなかで、ロックの統治二論を経てモンテスキューの三権分立論に結実した。濫用《らんよう》必至の権力の集中を避けるため、立法権、執行権、司法権の三権に分散し、相互に独立させることによって抑制、調整するというこの方法が、今日多くの国々で通例となっているのは、それだけ優れた合理性と普遍性を備えているおかげと思われる。

社会主義体制崩壊の最大の要因は、この人類が到達し得た権力に関する英知に注意を払わず、自家撞着《どうちゃく》の見本のような「良き権力」なる幻想に囚《とら》われたためである。レーニンの有名な「全権力をソビエト（代議制評議会）へ」という十月革命時のスローガンにもあるように、世俗三権を集中したソビエトを完全な下部機関として従えた共産党の書記長は、唯一《ゆいいつ》の公認イデオロギーの最高神官も兼ねていたので、絶対王政の国王を凌駕《りょうが》するスケールの権力者だった。しかも、その最高権力者交代のルールさえ設けられなかった。アメリカやフランスの大統領、あるいはわが国自民党総裁の三選禁止条項のような歯止めさえなかったのである。

ところで、立場を三分させる方法が、もっとも広く用いられているのは、裁判だろう。相対立する両当事者間の紛争を第三者が判断を下すことによって最終的な決着とする方法、つまり裁判制度の基本形ともいうべきものは、メソポタミアやエジプトなど人類最古の文明社会においてすでに機能しており、おそらく有史以前に自然発生的に形成されてきたものと思われる。ご存知のように、今では、ほとんどの国の裁判が、原告と被告と判事という基本三者からなる。そして、この三者がお互いに癒着することを防止し真の独立を保つ目的で、傍聴者という第四の監視者の立場を導入しているのが通例である。

面白いのは、先ほども述べたように、権力分立を放棄し、裁判の独立さえままならなかったソビエト連邦において、学問研究の分野では、この裁判制度にみられる三つの立場、三つの視点をぶつけ合う方法が脈々と生き続けたことである。

ロシア語で学位論文が審査をパスすることを、「защитить диссертацию 学位論文擁護を成し遂げる」という。これは、卒論を含めあらゆるレベルの学位論文審査のプロセスが裁判のやり方をなぞっているからだ。論文審査は普通公開で、大ホールで行われ、学友も近親者も通りすがりの人も、とにかく誰でも傍聴できる原則になっている。この公衆を前に、論文執筆者はすでに書面で提出してある論文の主旨を口頭で述べる。次に検事役の教授が、この論文の欠陥や弱点を突いて、論文はパスさせるべきでないと主張する。それに対して弁護士役の教授（これは、ほとんどの場合、指導教官が演ずる）が、いやこの論文にはこういう優れた点があり、当学問分野にこれだけ貢献している、だからぜひとも採用すべきだと論陣を張る。そういう丁々発止のやりとりを踏まえて、判事役の教授陣が、最後の判定を下す。

この論文審査方式は、帝政時代に西ヨーロッパから導入されたようである。一九世紀の反体制文芸評論家N・チェルヌイシェフスキイの出世作となった博士論文『現実に対する芸術の美学的関係』の審査の際には、評判を聞いて駆けつけた傍聴人でペテルブルグ大学の大ホールが立錐《りっすい》の余地なく埋め尽くされ、窓枠は鈴なりになったと伝えられている。

第10章　遠いほど近くなる

モスクワの日本人

まだロシア語通訳稼業《かぎょう》が今ほど忙しくなかった一〇年ほど前まで、夏と冬の二回だけ、知り合いの旅行社にお願いして添乗員なるものをやらせてもらっていた。無料で旅行ができるうえに、おあしまでいただけるので、随分と得した気分になれた。

もっとも、旅を楽しむには、お客さんの数は一二―一八人ほどが理想的。パッと見まわして、誰がいるいないととっさに判断できる数である。二〇人を越えると、しじゅうお客さんの頭数を数えていて、なんだか牧童になったような気持ちになるし、一〇人以下だと、団体旅行の醍醐味《だいごみ》が味わえない。

さて、一九八六年から翌八七年にかけての冬、モスクワ、レニングラード（当時の名）、キエフの旅。

実は毎年暮れからお正月にかけての二週間ほど、「ロシアの冬」芸術祭というのが催される。他の時期には、海外や地方を巡業している一軍のキラキラのスター・アーチストたちが、この期間だけはホーム・グラウンドに集まって、オペラ、バレー、コンサートなど最良の出しものを披露してくれるのだ。

そもそも寒い国というのは、寒い時期が最も美しいし、居心地もよい。建物も道路も、とにかくあらゆる設備が冬を中心に設計されている。それに女の人のワードローブだって冬のほうが圧倒的に豊富だ。というわけで、ロシアを旅するなら冬、それも芸術祭の期間がよろしいというのが通り相場である。

人数は、理想的な一六人。医者夫妻が三組、大学教授夫妻が二組、デザイナーと建築家のカップル……ウーン、どうも観劇旅行という旅の性格からかインテリの構成比がいやに高い。

「あら、この方、社長さんですって、どんな会社、経営なさっているのかしら」

教授夫人同士が旅行者リストを見ながら噂《うわさ》する。

「ミミズの養殖してるって、言ってましたよ」

噂にのぼったN氏と同室のエンジニアの青年が情報を提供する。

その夜は、ボリショイ劇場の桟敷《さじき》席でオペラ「セビリヤの理髪師」観劇とプログラムにある。

「粗筋、予《あらかじ》めお伝えしときましょうか」

絵に描いたような健気《けなげ》な添乗員は、わたし。

「馬鹿《ばか》にするな」

と言いたげな顔をされてしまう。皆さんオペラ通でいらっしゃる。そのとき、

「てぃんじょーいんさ、オレの席うすぃろの方でぃかまわねぃっから。オペラなんてぃどーせなーも分からねぃもなぁ。オレ寝てぃっから」

という声を発したのが、「ミミズ養殖業」のN氏だった。こんなときは、よい席をめぐって、お客さん同士取り合いになるものだから、添乗員のわたしにしてみれば願ってもない有り難い申し出である。

第一幕が終わり、熱烈な拍手とカーテン・コールが何度か繰り返された後、会場が落ちつきを取り戻して、休憩時間を告げる場内アナウンスがあった。一同が座席からそろそろ立ち上がろうとしたとき、感極まった声がした。

「ああ、ああ、あのおなごの声のちれーいなこと、ちれーいなこと。オペラってええもんだなぁ」

N氏だった。この素朴でまっすぐな感動は、オペラ通を自負する、ちょっぴりスノビッシュなインテリ集団が、

「いやー、もしかしたら自分たちの感動の仕方は通り一遍だったかも知れないいな」

と恥じ入ってしまうような、しかもその感動の共鳴効果の波にいやおうなしに捕らわれてしまうような力強いものだった。

以後はすっかりオペラに魅入られてしまったN氏と、N氏に感染してさらにオペラに惚《ほ》れ直してしまったお客さんたちの強い希望で、われわれの集団はまるで聖地巡礼の信徒集団のように、訪れる先々の都市で毎夜オペラハウスに通いつめることになった。

添乗員のわたしとしては、大助かり。というのも、「ロシアの冬」芸術祭は、ソ連の

外貨獲得政策の一環として催されるため、外国人観光客が目当てである。当然言葉が分からなくとも理解できるバレーのチケットのほうが先に売り切れてしまう。今回のツアーも、旅行社の懸命の努力にもかかわらず、ドイツやアメリカの旅行社が二年も前から切符を買い占めていて、バレーのチケットは、事前に手に入れることができなかった。

だから、旅行開始早々、

「まあ、バレーのチケットが全く手に入りませんでしたの。ガッカリですわ」

とか、

「エッ、そりゃ看板に偽りありじゃないかね。『バレー、オペラ鑑賞の旅』というから参加したのだよ。楽しみが半減だね」

などとお客さん方の愚痴や嫌みたっぷりの文句をさんざん聞かされていて、少々参っていた。旅行社の方からは、

「現地に行ってから極力努力して手に入れる」

という申し開きをするように指示されていて、そのようにしたけれど、一六人分も入手するのは、奇跡に近く絶望的であった。この先一〇日間、来る日も来る日も、

「残念ながら今日もダメでした」

とお客さんたちに頭を下げ、そのたびに嫌みを言われるのかと思うと憂鬱《ゆううつ》になっていた。

ところが、Nさんのおかげで、一行はまるで取り憑《つ》かれたかのように、オペラ、オペラの一色に染まってくれた。

皆競ってNさんの隣に座りたがり、Nさんの反応を固唾《かたず》をのむように見守り、Nさんが感動すると涙を流さんばかりに喜ぶ。完全にわが団のスター、中心人物になってしまったのである。

明日は成田という旅行最終日、モスクワのレストランでさよならパーティーを催した。この日もNさんは人気の的で、お医者さんたちのグループは、

「今度、トルコを旅行するんですよ。一緒に行きましょうよ、Nさん」

と誘いをかけるし、大学教授のS氏は、

「Nさん、そろそろ白状したらどうなんです。ミミズの養殖ってのは嘘《うそ》っぱちでしょ。本当は、何やってらっしゃるんですか？」

と迫る。Nさんのほうは、ニコニコしながら頭の後ろのほうに手をやり、

「イヤー、お話すぃするようなことでぃもねぃんですよ」

「ああ、そうやって隠せば隠すほど、知りたくてたまらなくなる。ねえ教えてーっ」

突如ミーハーぽくデザイナーのT女史。

「そうですよ、Nさん。そんなに隠しだてすると、ソープランドのおやじだと思われちゃいますよ」

建築家のT氏は、やんわり脅迫する。

ついにNさんも、苦笑しながら観念した。

「すぃがない場末の不動産屋なんでぃすよ」

しかし、そう言い切ったNさんは、一瞬だけだが、今までのわたしたちが一度も見たことのない、突き刺すように鋭い何とも暗くて、人を寄せ付けないような目つきをしたのだった。アッと息をのむような一瞬だった。

その日搭乗した東京行きの飛行機で、座席がわたしと隣になったNさんは、今までになく雄弁に自らについて語った。

「ほんどに、今度の旅行はいがった。こどすぃは、いやー、もう去年だわねぃー。去年はやだらと稼ぎがいがったのよ。金が面白いほど儲《もう》かってぃねぃー。そんでぃ、どうせならこの目でアメリカと中国とソ連見てぃみよう思ってぃねぃ。

アメリカはハワイさ行ったんだ。でぃも夜になるとなーもすることねぃーのよ。フラダンスなんてぃ、底があせーもんね。そごへいぐど、ソ連てぃのは、大すぃた国だ。オペラなんてぃ、オレ初めてぃだもなあ。ええもんだなあ。こう魂のおぐのおぐのほうに響いてくるみてぇな、心の隅々までちれーいに洗われるみてぇな……。今までぃ、新聞の催《もよお》すぃ欄見てぃも、オペラなんてぃ見向きもすぃなかったけぃど、これからは、朝新聞がとどいたら、真っ先に催すぃ欄のオペラ見るもな。

オレの毎日の生活なんてぃ殺伐としてぃんだ。お嬢さんなんて想像がつかねぃーぐれい……生まれ変わっだら、こんな生活はしだぐねぃーな……」

そう言うとNさんは、まるで生まれ変わるはずの、はるか先の人生を見据えるような素振りをすると、そのままおし黙ってしまった。

デザイナーのTさんから電話がかかって来たのは、それから半年以上も経過した、九月の暑い昼下がりだった。

「ねえねえ、今テレビで盛んに騒いでいるC商事って、たしかNさんが社長やってた会社ですよねー」

そのうちNさんの顔写真が新聞にもテレビにも出るようになって、大学教授のSさんからも、医者のMさんからも、ツアー参加のお客さんたちから次々に電話がかかって来る。

「Nさん、大変なことになりましたね」

「Nさんところへ電話したんですけど、誰も出ないんですよ」

皆心からNさんのことを心配した。もちろん、わたしもNさんの会社に電話したものの、信号音がなり続けるばかりである。

バブルが膨張を続け、土地の暴騰《ぼうとう》がとどまるところを知らず、大会社が競って土地の買い占めに狂奔するさなか、Nさんの会社は、甘くてヤバイ仕事にはまってしまった。

五〇億、一〇〇億という単位の偽《にせ》の領収証を発行し、その手数料として額面の一割を受け取っていたというのだ。マスコミによると、B勘屋というのだそうだ。

モスクワのレストランでNさんが見せたゾーッとするほど暗い眼差《まなざ》しが何度も何度も目の前に浮かぶ。

そうこうするうち、一度だけNさんから電話がかかってきた。

「すぃんぱいかけて、申すぃ訳ねぃでぃす。旅行のどぎのみーんなに謝っといてぃください。オレ、明日逮捕されっから。でもねぃ、ほんどに悪ぃーのは、S不動産とか、M不動産とか最大手なんだからねぃ。オレが口割ったら、大変なごどになんだから……」

とNさんは言い置いて、塀の中の人となった。結局「口を割る」ことはしなかったようで、彼の逮捕によってマスコミをにぎわしたこの事件は終焉《しゅうえん》を迎える。

「出所したら、またソ連にオペラを見に連れてってください」

という葉書が、しばらくして舞い込んだ。塀の中からの便りなど受け取るのは生まれて初めてだから興奮し、何度も読み返したものだ。

その頃は、もう本業の通訳業のほうが多忙を極め、優雅にツアー・コンダクターなど引き受けられる身分ではなくなっていた。

「でも、Nさんとあのときのメンバーとなら、無理して時間をつくっても行く価値あるかもしれないな」

などと考えもした。

しかし、実際にNさんから出所したという葉書をいただいた頃には、ソビエト連邦という国は地球上から消滅していた。

ずいぶん長い物語になってしまったが、わたしにとっては、オペラに全く不案内だったNさんが、誰よりもオペラに心打たれ、魂を揺さぶられ、常日頃オペラに馴染《なじ》んでいる人たちをも巻き込み感染させてしまうような熱い想《おも》いに捕らわれたということが、不思議な発見で、いつまでも忘れられないエピソードなのである。しかし、その後、こういう現象が、必ずしも珍しいことではなく、むしろ合法則的なものでさえあるのだなあと、いくたびか確認することになった。

パリの日本人

本書のプロローグでご紹介申し上げた異文化交流関係者の必読書『翻訳史のプロムナード』（みすず書房）と『世界の翻訳家たち』（新評論）の著者、辻由美さんに、ロシア語通訳協会が主催する「通訳の諸問題シンポジウム」で講演をお願いしたことがあった。

ひとつひとつの言葉が選び抜かれ、ひとつひとつの文章が考え抜かれた宝石箱のような著書。読み進むほどに、明晰《めいせき》な論旨と、翻訳に注ぐ情熱と、知る喜びに溢《あふ》れた著者に惚れ込んでしまう。講演もまた、そういう著者像を裏切らなかった。

辻さんは、もともと生物物理の研究者だった。

「パリに住んだおかげで、翻訳家の仲間入りをすることになった。言葉の世界という自分にはあまり縁のなかった世界をふいに発見し、無我夢中で言葉の勉強をした……」

と彼女は著書の中で振り返っている。なんと、辻さんは、フランス語をほとんど知らずにパリに住みつき、外国人向けフランス語学校に通って初歩から身につけていくのである。

ドイツ人、イタリア人、イギリス人、スペイン人などヨーロッパのほとんど全《すべ》ての国から学生が来ていた。もちろん、ベトナム人、韓国人、中国人などアジア諸国、アフリカ諸国、南北アメリカからの学生もいる。

初級コースの頃は、ヨーロッパ系の、とりわけフランス語との言語的姻戚《いんせき》関係が濃いロマンス語系の言語を母語とする学生が飛び抜けてできる。日本人の彼女や他のアジア系の人々は、予習復習を懸命にやっていくのに、悔しいことに、そんなこと一切しないイタリア人やスペイン人にかなわない。

初級から中級への進級試験に見事及第する辻由美さんだが、ここで彼女の凡庸でないところが現れる。

「自分が、試験問題のテキストが理解できたのは、フランス語そのものの聞き取り力や語学力によるものではなく、あくまでも文脈から類推したおかげである。以前から身につけている常識や教養をあてにしたものだから、本物の実力ではない」と冷静に分析した彼女は、学校側と交渉して、もう一度初級コースの受講をするのである。

「初級を徹底的にやったおかげで、中級、上級は大変楽になりました。面白いことに、初級を軽々とこなしていたイタリア人やスペイン人、ポルトガル人の成績が、一向に思わしくないのです。彼らの多くが途中で脱落していきました。初級で苦しみ抜いたわたしは、逆にフランス語を商売道具として操る翻訳者になってしまったのですから皮肉なものです」

辻さんは、さらにその後タミール語に興味を持ち始める。ひと頃、

「日本語はタミール語起源だ」

という論議が日本のマスコミを賑《にぎ》わしたことがあった。実際かじってみると、タミール語はほとんど語順が日本語と同じだから、フランス語を始めたときとは較《くら》べようもないほどスイスイと楽に学習していくことができる。

一方、同じクラスのヨーロッパ系の学友たちは、見るからに苦しんでいる。

「こんな難しい言葉は初めてだ」

と悲鳴をあげんばかりだ。

しかし、中級、上級へと進むに従って、事態は逆転していくのである。

「結局、わたしはタミール語を本格的に修めるまでには至らず、途中でおっぽりだしてしまいました。ところが、そのころ同じ教室にいたフランス人の学生は、今では、タミール語研究の斯界《しかい》第一人者になっています」

と辻さんは述懐する。

ロシア語学校の非ロシア人

辻さんの講演を聴きながら、思い出したのだが、実はわたしもそっくりな経験をしている。

小学校の三年から中学の二年までに相当する時期、両親の仕事の都合でチェコスロバキアの首都プラハに滞在し、ソビエト大使館付属八年制学校に通った話は、以前にした。授業は全てロシア語で行われ、ここに入学する全ての非ロシア人は、最初の時期授業はチンプンカンプン。喧嘩《けんか》もできない。皆が笑うときに一緒に笑えない。とにかく先生とも学友とも意思疎通《そつう》がはかれなくて並々ならぬ寂しさと苦痛を味わう。

ところが、どの国から来た子どもも必ず一年以内に、いや、どんなに遅くとも七か月以内にロシア語をほぼ自由に操るようになるのだから不思議だ。バベルの塔の建設によって神の怒りにふれるまでは人類はもともと一つの言語で話していたという聖書のフィクションがもしかしてノンフィクションなのではないかと思いたくなるほど、それは見事にそうなのである。少なくとも、多くの言語学者が指摘するように、人間はあるひとつの言語を身につけることによって、他の言語を身につける能力をも習得するようだ。

　この学校には、世界五〇か国ほどの子どもが学んでいたのだが、まず最も早くしゃべり出すのが、ロシア語と親戚《しんせき》関係にあるスラブ系の言語を母語とする子どもたちだ。ブルガリア人は一か月で、チェコ人、ポーランド人、ユーゴ人は二か月から三か月で、ほぼ自由にコミュニケーションがはかれるようになる。同じ印欧語族でもフランス人、イタリア人、ルーマニア人、ブラジル人のようなロマンス語系を母語とする子どもたちや、ドイツ人やイギリス人のようにゲルマン語系を母語とする子どもたちは四―五か月、朝鮮語、モンゴル語、そして日本語など、言語的にもっと離れた言葉を母語とする子どもたちは、わたしもそうだが、六―七か月かかった。

　ところが、面白いことに、同じスラブ系の子どもたちは、いつまでたっても、母国語の訛《なま》りをロシア語に響かせ、ロシア語にはない母国語の言い回しを頑固に使い続け、結局最後まで、完璧《かんぺき》なロシア語を身につけられない。いわゆる母国語による学習語に対する言語間干渉が起こってしまうのである。

　このロシア語学校を卒業後、ソ連本国に渡り学業を続け、大学、大学院とソ連で修めたチェコ人やポーランド人やユーゴ人の友人がいるが、今も彼らは立派に母国語訛りを引きずってロシア語をしゃべる。すぐに外国人だとばれてしまう話し方しかできないのだ。

逆に、日本人やアラブ人や朝鮮人のように、ロシア語とはかけ離れた言語の担《にな》い手である子どもたちほど、より完璧にロシア語をマスターしてしまうのだ。

ロシア語教師のガリーナ・セルゲーエヴナ先生が、しばしば、

「マリは、ロシア人よりロシア語が上手《うま》い。姿が見えなければ、完全にロシア人だ」

と誉《ほ》めてくれた。マリとはわたしのことである。先生にしてみれば、言語的にはるか離れた東洋人がロシア語を身につけるのは、さぞ多難に違いないという同情心もあってのことだろうが、嘘を言ったわけではない。実際、電話でロシア人と話して、何度もロシア人に間違えられたことがある。それは、わたしだけでなく、同じ学校に学んだわたしの妹や、モンゴル人や朝鮮人の子どもたちの多くがそうだった。

どうやら、初級を徹底的に身につけること、これが言語を身につける基本のようだ。ところが、人間の脳味噌《のうみそ》にはなるべくサボろうとする機能が自動的に備わっている。あるパターンを新たに習得する労を惜しんで出来合いの類似パターンで間に合わせてしまう機能がオートマチックに作動してしまうのだ。近接する言語の学習においてはこれがしじゅう作動する。主観的にどんなに頑張って抵抗しても、この機能を停止させるのはほとんど無理。自動制御モードになっているから、そのモード自体をプログラムし直さなくては不可能なのだ。そして、その言語との姻戚関係が遠ければ遠いほど、手元に類

似パターンがないため、この省力装置は作動しない。つまり、脳はより謙虚にその言語に接し、新鮮な発見をし、その言語を突き放して（いや、考えてみれば、突き放そうとわざわざ努めなくとも、離れているのだ）、根源的に構造的に究明しようとする無意識の意志が生まれやすいのではないのだろうか。

要するに、言語間の距離が遠ければ遠いほど、言語間干渉は起こりにくいのである。それに、人間という動物は、費やした努力やエネルギーや時間や資金が多ければ多いほど、その対象に執着心を抱く。克服する道程が長ければ長いほど、到達した目標は身近なものになるのだ。

「苦労をかけた息子ほど可愛《かわい》い」

と親が思いがちなのも、その息子のなかに、苦労した自分の姿を認めていとおしいと思うからに他ならない。

さて、少女期にロシア語を身につけてしまったわたしは大学院の露語露文学研究室に進学した当初、他の同級生の誰よりも原書をスラスラと読みこなせたはずだ。しかし、このスラスラが曲者《くせもの》なのである。ご覧のとおり、わたしは結局学者としてはモノにならなかった。ところが、当時学者の卵だった同級生たちは立派に孵化《ふか》し、斯界の大御所になっている。

近いほど遠くなる、遠いほど近くなる

最近、旧ソ連が崩壊して形成された新独立諸国の官僚や企業家が市場経済の原理とノウハウを学ぶため、日本政府や国際金融機関などの主催する研修に参加することが多くなった。その通訳に動員されて気づいた面白いことがある。

英語がある程度できて、市場経済の基礎をかじった人々（これは多くの場合若手）と並んで、旧体制の中央集権的な計画経済のなかでかなり高位の役職を占め、一方で市場経済的手法については無知に近いという中高年者が参加することがある。もちろん英語はできない。

彼らは、飲み込みが悪く、いちいち講師の言葉につっかかり、他の優等生や講師をウンザリさせる。最初の三日間ぐらいは、授業の足を引っ張る劣等生という風に見られて煙たがられている。

ところがしばらくすると、彼らがいることで授業により深みと奥行きが出てきていることに気づき出す。彼らの発する質問は、根源的であり、哲学的でさえある。優等生たちは、自分たちの捉《とら》え方がいかに上面《うわつら》だけを撫《な》でたものであるか思い知らされて、恥じ入り、講師は講師で、今まで自分が疑問にも思わなかった問題を突きつけられて、学問的にも新鮮な刺激を受けるのだ。

お受験熱にかられた母親や、効率一辺倒の学校が、習熟度レベルで学童をクラス分け

して欲しいという願望にとらわれることがしばしばある。それが子どもたちにとって、いかにまたとない素晴らしい機会の喪失であるか、気づこうとしない。

そりゃ子どもを立派な受験ロボット、会社ロボットにしたいのなら、これほどピッタリの方法はない。でも人工頭脳の開発は加速度がついてきているから、下手すると、ロボットの助手ぐらいにしかなれなくなるんじゃないだろうか。

第11章　悪女の深情け

モスクワのジプシー

遊園地やデパートを訪れると、親とはぐれてしまった子どもに関するアナウンスメントを耳にすることがある。子どもは何かに夢中になると他の一切を忘れてしまう傾向があるから、気がついてみると親の姿を見失って焦《あせ》りまくる。読者諸兄姉も幼年時代には、迷子になったことが一度ならずおありでしょう。

数年前、神戸で「世界子供博」という催しがあって、世界中から集まる子どもたち同士の交流を促進するために二〇か国語以上からなる簡単な会話帳をつくるお手伝いをしたことがある。

その会話帳でも子どもが迷子になったときのための用語や会話パターンをまとめたページがあった。そんなこともあって、世界中どこの国にも、どの民族にも「迷子」という現象があり、したがって「迷子」という概念も万国いたるところにあると思ってきた。

ところが、流浪《るろう》の民ジプシーの子どもたちは、決して迷子にならないという。これは、ロシアの子育て専門家のニキーチン氏にうかがった話だ。

ニキーチン氏の職業は、かつては技師だったけれど、今は子育て専門家としか名付けようのないものだ。七人の子どもたちを彼が開発した独特の方法で育て上げ、その子どもたちが揃《そろ》いもそろって健康に恵まれ、肉体的にも性格的にも頭脳的にも人並みはずれた優れものに育った。学業のほうも成績優良で次々に学年を飛び越えて（ロシアには、アメリカ同様、飛び級制度がある）進級し、中学生ぐらいの年齢で大学進学を果たしてしまったものだから、がぜん国中の注目を集めた。ニキーチン夫妻が記した自分たちの育児経験と方法に関する手記は空前のベストセラーとなり、日本でも暮しの手帖社が『ニキーチン夫妻と七人の子ども』と銘打って翻訳刊行し版を重ねている。

その育児法の基本的な特徴は、いかに本来幼児が秘めている能力をスポイルすることなく最大限引き出し、伸ばしていくかにある。しかも子どもの能力の発見と開発は、早ければ早いほどよろしいという。ニキーチン夫妻によると、文明が成熟した国ほど子どもを過保護に扱い、その事によってかえって子どもの能力の芽を摘み取っている。

たとえば、ロシアの乳幼児は生後一歳半までおしめをはずせないが、アフリカの乳幼児は、わずか六か月でおしめから解放されている。ニキーチン家でもこの例に習っておしめをはずす時期をどんどん早めていった。するとわずか三か月ほどで子どもはちゃんと、しかも喜んで便器にするようになったというのである。子ども自身にとっても、そのほうがはるかに快適で、お尻《しり》と足をおしめから解放した幼児は、より精神的に安定し、より活発に動き回るようになる。

あるいは、ロシアでは子どもに風邪をひかせまいと着膨れするほど衣服で包み込むが、かえって人間が本来持っている温度調整機能の発達を抑制阻害している。足の裏には人間のサーモスタットのセンサーが配置されているそうだ。ニキーチン夫妻は屋内で子どもを裸足《はだし》で過ごさせるだけでなく、真冬でさえ裸足裸体で雪のなかを走り回らせた。子どもたちは嫌がるどころか、キャッキャッと転げ回るように喜んで庭を駆け抜ける。結果として七人の子ども全員が風邪に悩まされることなくすくすくと育った。

子どもは好奇心の塊で、何にでも触ってみたがり、何でもやってみたがる。だから生傷や怪我《けが》が絶えない。親としては、心配で心配で、

「あれは駄目、こっちは危ない、それには近づくな」

とついつい予防線を張ってしまいがちだ。しかし、それではいつまでたっても子ども自身で危険の本当の怖さを把握できない。自分の危険に対する耐性、自己保存機能や危険度を推し量る能力を身につけられない。そのため、親がふと目を離したすきに命にかかわるような事故に遭遇してしまったりする。

ニキーチン式子育てでは、親はいたずらに子どもを危険から遠ざけない。熱したアイロンに子どもが興味を持ったら、軽く触らせるぐらいのことはする。そうやって子どもは自らの痛みをともなう体験を通してアイロンは火傷《やけど》するものだ、まわりには危険なものがたくさんあって用心深く接しなくてはいけない、と学んでいく。そういう子どもは自分の限界を知っており、どのくらいの高さから飛び下りたら危険か、初めて接するも

のには、いかに警戒心が必要か、危ない目にあったらどう対処すべきか、自然に危機管理能力を備えていくものなのである。

以上のような子育て原理の開発者であり、実践者でもあるニキーチン氏は、決して冷淡でガチガチの理論家ではない。子どもたちを愛してやまない父親であり、子どもたちの注意深く飽くなき観察者である。

モスクワ郊外に住む一家が大都会モスクワを訪れた際、下から二番目の息子が迷子になってしまった。このときの経験からニキーチン氏は、「迷子」という現象に多大な関心を寄せるようになる。ジプシーの子は決して迷子にならないという定説を知るや、早速ジプシーの親子たちの観察に取りかかる。

モスクワの地下鉄駅のひとつでのことだった。二人のジプシー女が、そのうちの一人は乳飲み子をかかえていたのだが、プラットホームでの立ち話に夢中になっていた。彼女たちの子どもと思われる四―五人の少年少女（六歳未満ぐらいだろうか）が、プラットホームじゅうを駆け回って鬼ごっこをしている。二人の母親のほうは、おしゃべりに余念なく子どもたちのほうを一瞥《いちべつ》だにしない。子どもたちのほうは、遊びに興じながらも、ほぼ定期的にチラッチラッと母親たちのほうを見やるのだった。

そのうち二人の女はエスカレーターのほうへ向かって歩きだした。驚くべきことに、このときでさえ、二人は子どもたちのほうに目線さえ走らせないのである。あたかも、子どもたちなど全く存在しないがごとくに振る舞うのである。一方子どもたちのほうは、いち早く母親たちの動きを察して、鬼ごっこを続けながらも少しずつエスカレーターのほうへ向かってシフトしていくのであった。

「われわれは親の側が子どもが迷子にならないように配慮するあまり、子ども自身の迷子にならないようにという注意力と努力の余地を奪ってしまっているのです。ジプシーは親がそんな気配りをしないおかげで子どものほうにその能力が育つのです。迷子をつくらないためには、そのほうが確実なのです」

とニキーチン氏は結んだ。

猫も犬も人間も

人間の子どもを育てた経験皆無のわたしまでもが、ニキーチン氏の話には身を乗り出して聞き入り、しきりとうなずいてしまうのだった。

人間を育てた覚えはないが、子猫を育てた経験は猫に付く蚤《のみ》の数ほどとまではいかないものの、一般論を導き出せるほどには積んでいる。

それで、危険に対する感度の話で思い出したのが、隣家の猫たちのことである。隣も一家そろっての猫好きで、代々様々な猫が飼われてきたが、わが家の猫たちに較《くら》べて交通事故に遭遇する率が異常に高いのである。較べるといっても、わが家の猫で今まで交通事故に遭ったものはゼロ。隣はこの三年間で二匹が命を落とし、二匹が身体障害者になってしまっている。ちなみに、両家とも常時三―四匹の猫が飼育されている。

偶然の数字とは、とても思えない気がして、それとなくニキーチン風に観察してみて、ちょっとした発見をした。わが家の猫は幼児期から（まあ、猫の幼児期というのは、よちよち歩き出した頃から生後三か月ぐらいまでだろうか）本人たち、じゃなかった本猫たちが望むままに戸外に出してやっていた。

子猫というのは、人間の子ども同様自己の能力の限界を知らない。要するに向こう見ずなところがあり、背丈の高い木の梢《こずえ》のあたりまでよじ登ってしまって降りられなくなり、ニャオニャオ泣きわめいたり、池に落っこちて溺《おぼ》れそうになったり、カラスに狙《ねら》われたりと、最初のうちは目が離せない。それでも、そういう危険な経験を通して日に日に猫たちは賢く、逞《たくま》しくなっていくのだった。

ところが、隣家の飼い主たちは、子猫をいとおしく思うあまり、危険な目にあったら大変と、幼年期、少年期（生後八か月あたりまで）は家の中に閉じ込めて育てる。青年期になってから、もう大丈夫だろうと、戸外へ出すようになる。ところが、どうやら猫も人間同様、年をとるほどに環境適応力が落ちてしまうのである。それが隣家の四匹もの猫たちが自動車にはねられてしまった原因のひとつに思えてならない。

とまあ、鬼の首でもとったかのように得々と書きつづってしまったが、いうまでもなく、こんなこと、とうの昔に人々は気づいていた。しかし、「獅子《しし》の子落とし」とか、「可愛《かわい》い子には旅をさせよ」という慣用句が今なおメッセージ性を失わないのは、人間という動物の学習能力の限界を教えてくれるからである。

「アレはダメ、コレもダメ、ソレは絶対ダメ」

と学童を校則でがんじがらめにする今の日本の学校教育なんか、標本にしたくなるほど見事な例の一つである。

獣医師としての長年の経験と動物行動学的研究の最新の成果を駆使して、犬の体と心を解説してくれる『ドッグズ・マインド』（八坂書房）において、ブルース・フォーグル博士は、ＥＳＰ（超感覚的知覚）いわゆる超能力とか第六感とか言われる能力について、

「私たちがまだ無知ゆえに理解することができない動物的な勘のことなのである」

と断ったうえで、次のように記している。

「……迷い犬が大陸を横断して、川を渡り、交通量の激しい道路を横切り、においを追跡することも出来ず、しかしながら成功裏に自分の家に戻った、という話はよく耳にする。……しかし、私たちに関しても同じ疑問が実はある。周囲を目で確認することもできない、何も見えない状況である吹雪の中でエスキモー（イヌイット）の人々はどのよ

うに帰宅するのであろう？　これらの疑問に対する答えは、既存の五感を極限まで働かせ、かつそれに合わせて私たちがまだ理解できない知覚能力を用いる、ということではないだろうか。……犬は生物学的には体の芯《しん》までアウト・ドアの専門家である。彼の精神構造は感覚を通して入ってくる情報によって機能していくのである。家庭のペットとして、大半の場合においては感覚をフルに刺激されることなく生活している彼らは、能力を完全に活用することなく生きている。知覚的情報が多ければ多いほど彼の頭は発達していく。解剖学的に言えば、感覚の刺激は脳内の神経細胞を実際に成長させ、他の神経細胞とつながっていくことを促すのである。つまり新たな情報を取り込み、消化していくためにネットワークを拡大していくのである。それゆえ子犬にはなるべく刺激のある環境を与えてやることが大切なのである。子犬を飼い始めても、一日中家の中で独りにしておくと、自ら刺激を求め始めるだろう。そして、その行動を私たちは破壊行動と呼んでしまう。しかし、この刺激がなければ、彼らは自らの種の潜在的な力を身につけることなく、小さな脳味噌《のうみそ》と貧弱な精神構造のまま成長してしまうことになるのである」

どうです？　これを読んでいると、犬のことが書かれてあるのに、つい猫や人間のことに敷衍《ふえん》したくなるでしょう。

わたしの周囲にも、親が子どもを溺愛《できあい》するあまり、将来を幸せにしてやりたいと願うあまり、生まれたときから大学を卒業するまで一切家事の手伝いはさせず、兄弟姉妹や両親や祖父母の面倒は見させず、ひたすら遊び、勉強することだけを求められて大人になった人たちがいる。ただただ自分のためだけに生きることを求められて育つのである。こういう異常な育てられ方をした若者の割合が、他国と比べて日本はむやみに高いような気がする。怖い。

アフリカの日本人

アフリカ大陸中部の高原地帯に位置するU国は、北部にひろがる乾燥地帯以外は緑と温暖な気候に恵まれた地域だ。一九世紀末から一九六二年まではイギリスの植民地であった。

独立後は内戦が絶えなかったが、九〇年代に入って、ようやく政情も安定化の兆《きざ》しを見せはじめ、全国民参加のもとでの総選挙も実施された。

銅、コーヒー、綿花などの資源があるものの、国土も人々も荒廃し、経済的自立にはほど遠い。しかし、とにかく綿花は気候風土からして素晴らしいものができる。綿花栽培とその加工業を育成発展させ、将来的には国の経済を支える柱の一つにしていくことができるのではないか。そういう理想に情熱を燃やすU国人がいて、懸命な努力を重ねている。日本の公的対外協力機関の人々も、これこそU国のホンモノの自立に寄与する事業と見て、陰に陽に支援を惜しまないできた。促進のカギとなるのは、国内産の綿花からつくられる木綿製品に対する国内の需要が伸びていくことである。これが、非常に難しい。

こういう地道な努力は、しかしすぐに目に見える分かりやすい形で成果が出るわけではない。一〇年単位の気の長い事業である。地元のマスコミも限りなく無視に近いほど注目しない。

そういう中で、突如若い日本人ボランティア女性が脚光を浴びる。連日新聞に取り上げられ、英雄やスター並みの扱いだ。日本からドッサリ古着を持ってきて無料で配ったというのである。こういうほどこし型の「支援」は、旧宗主国のイギリスはじめ、「先進国」からじゅうある。国を挙げて有り難がられるのだから、ほどこす側も気分がいいことだろう。ほどこしを受ける側もウハウハ幸せで、両方ともメデタシメデタシではないか。

と言いたいところだが、こういう「支援」は、綿花プロジェクトを推し進める人々の意欲にとっては、青菜に塩のような役割を果たしているそうだ。まああの品質の衣服が無料で手に入る傍らで、気の遠くなるような労力を要するのに、先行き不安材料の多い綿花事業などに携わるのが、馬鹿馬鹿《ばかばか》しくてやってられなくなってしまうのだ。「先進諸国」の心優しい思いやりのおかげで、今U国の綿花プロジェクトは絶滅の危機に瀕《ひん》している。

恋の駆け引き

突然、また飼い猫の話になって恐縮だが、わが家の雌猫でビリという名の滅茶苦茶モテたのがいた。顎《あご》から胸、腹、尻尾《しっぽ》の裏側にかけては真っ白で、顔面から背中、尻尾の上部にかけては黒虎《くろとら》模様の雑種。大きい黒縁の眼は表情豊かな青緑色。美形で抜群に頭が良く、この上なく俊敏な、人間から見ても申し分なく魅力的なヤツだった。誓って言うが、これは飼い主の欲目ではなく、今まで飼ってきた様々な猫たちの中で、迷うことなくナンバーワンの優れ者だったのである。

まるでかぐや姫に求婚する貴公子たちのように、来る日も来る日もひきもきらず次から次と、我こそはと思う雄猫たちが求愛に来る。ビリのほうは相手のほうを一瞥だにしない。雄のほうは、恋する者の臆病《おくびょう》さでオズオズと上目遣いで、でも何とか気を引こうと涙ぐましい努力をする。何とか目のはしにでもいいから入れてもらおうと、少しずつ距離を縮めてくる。ビリは完全に無関心な様子で毛繕いに余念がない。毛繕いのついでという感じで、まるで雄猫ではなく石ころでも見るように視線を向けると、雄猫のほうは明らかにドギマギしてシバシバと眩《まぶ》しそうに目を瞬《しばたた》かせたり、うつむいたりして、決してマドンナを正視できない。

やっとのことで、ある程度まで近づくと、ビリは癇《かん》にさわったとばかりに、ギギャーというヒステリー声を発して相手を追っぱらってしまうのである。このときのビリの表情といい、声の調子といい、ああ、そこまでしなくてもというほど嫌悪感《けんおかん》丸だしで、

「あんたと同じ空気吸うのも汚《けが》らわしい」

とでも言っているようなのだ。

そんなふうにふられてしまっても、へこたれずに毎日しつこく訪ねてくる猫（いずれも自信過剰気味のマッチョタイプばかり）も時々いたが、たいていの雄猫は、見るも悲惨な面もちでガクッと肩を落とし、トボトボと引き上げていくのだった。

わたしが出かけるときは、ビリは自宅の周囲二〇〇メートルぐらいの距離までは必ずついてくる。すると、一体どこにこれだけの猫が、と思うほどそのあたりの家猫、野良《のら》猫が顔を出して、ビリに見とれる。ビリも十分にそこのところは心得ているらしく、ピーンと尻尾を立てて、頭を傲然《ごうぜん》と持ち上げ、もちろんキョロキョロと脇目《わきめ》をふることなど絶対にしないで、とにかく目一杯気取って進む。

ある日そんな行進の最中、木蓮《もくれん》が美しく花をつけた庭の生け垣の側《そば》を通りかかったときだった。霊長類ヒト科のわたしの目から見ても超ド級のハンサム猫がスクッとたたずんでいた。今まで見たこともない若い真っ白な雄。脇目もふらず歩いていたはずのビリがピタリと立ち止まった。ビリビリッと電流が走ったような気がした。ああ、これは間

違いなく一目惚《ぼ》れであるな。いつのまにかビリはツカツカと相手に歩み寄ると、頬ずりをした。ドハンサムはハッとたじろぎ、おそらく人間ならば赤面狼狽《ろうばい》した感じになりモジモジと恥じ入った。

わたしが感心したのは、次のビリの行動だった。サッと身を翻《ひるがえ》すと、頬ずりしたことなど、あたかもなかったかのように、すましてその場を走り去ってしまったのである。雄猫のほうは、思わずその後を追う。相手がついて来るのを巧みに確認しつつビリは速度を調節する。相手が足を早めたのを察すると、いきなりビリは立ち止まり、振り向きざまビシッと切りつけるように挑戦的に相手の瞳《ひとみ》を見つめる。恋の駆け引きに不慣れらしい雄はビクッとして数歩後ずさる。すると、ビリは再び身を翻して逃げる。もちろん、雄猫は後を追う。

このパターンを何度も繰り返しながら、二匹の距離は次第に縮まっていった……ビリが常に恋の勝者であり続ける理由、モテる秘訣《ひけつ》を垣間《かいま》みた気がした。わが飼い猫の決して恋に溺れず、相手の心理を手玉に取る冷静な判断力、強固な意志力に心底感服したものだ。

自分のほうから相手を追いかけるのではなく、相手に自分を追いかけさせる手練手管は、モスクワ・ジプシーの母親が子どもを迷子にさせないノウハウに通じるものがあるではないか。

悪女の深情け

ご存知のとおり、悪女というのは、心根の悪い女の意味ではなくて、容貌《ようぼう》の醜い女をさす。ブスは美女に較べて愛情が濃厚で嫉妬《しっと》深い。転じてありがた迷惑の意に用いられている成句だ。

この成句の意味を捉《とら》え直したい。容貌に自信のないせいでそう思うのかも知れないが、そもそも容貌の美醜とは、「痘痕《あばた》もえくぼ」とか「タデ食う虫も好き好き」とかいうように、非常に主観的で不安定な範疇《はんちゅう》なのである。したがって、悪女だから深情けなのではなくて、深情けだから悪女に思えるのではないだろうか。

一九世紀から今世紀前半にかけての小説には、モーパッサンであれ、ツルゲーネフであれ、森鷗外《おうがい》であれ、永井荷風であれ、男性主人公が惹《ひ》かれて追いかけ回していた女に逃げられている間は身も心も焼け尽くすほど恋焦《こ》がれていたはずなのに、逆に相手の女がこちらに夢中になって来るにしたがって男の気持ちが冷めていくプロセスが、リアルに説得力を持って描写されている作品がことのほか多い。この世のものではないほどの美貌《びぼう》と思えていた女が次第に鼻につき始め、この上なく醜悪に見えてくるという、男の心理のうつろいの残酷な真実が暴《あば》かれる。逃げると追いたくなり、追われると逃げたくなる。

アメリカ映画『危険な情事』（ちなみに香港《ホンコン》では「致命的吸着」と翻訳している）が、このプロセスを鬼気迫るタッチで描き出したのは、記憶に新しい。マイケル・ダグラス演じる主人公とともに、われわれは最初この上なく性的魅力に溢《あふ》れた美女に見えたグレン・クローズ演じる女が、疎《うと》ましく、恐ろしく醜悪に変貌していくのを体験する。

逆に、プーシュキンの韻文小説『エヴゲーニイ・オネーギン』や、ヴィスコンティ監督の映画『イノセント』では、そういう男の手前勝手が逆手に取られてしっぺ返しを受ける構造になっている。オネーギンは田舎娘のタチヤーナから恋文を受け取ったときは、冷たく突き放しておきながら、数年後タチヤーナがさる将軍と結婚し都の社交界の華とうたわれるようになるや、かなわぬ恋の虜《とりこ》になる。『イノセント』の主人公は妻が苦しむのに眼もくれず女遊びにうつつを抜かす。ところが妻が他の男と恋におちいるや、妻の女としての魅力にとりつかれる。

ウーン、そうなのだ。男を追いかけてはいけない、男からは逃げることこそ、男をつかまえるコツなのだ、とすでに二〇歳前に目覚めていたわたしではある。しかし、どうもいまだに上手《うま》くいかない。わたしは逃げるのだけども、相手が追ってこないのだ!!

ただし、子育てや男女関係以外においても、この真理は、なかなか適応範囲が広いのではないかと密《ひそ》かに思っている。

たとえば、突然飛躍して、わが国の外交の基本とも礎《いしずえ》とも言われる日米関係。絶対的圧倒的に日本側からの一方的片思い、報われない思いやり、反論無しの唯々諾々《いいだくだく》、善《よ》し悪《あ》し見境ない追随なのである。ひと頃『NOと言える日本』なんて本がベストセラーになるほど、日本の対米追随ぶりは醜悪このうえない。しかも、そんな日本を、いやむしろ、そんな日本であるからこそ米国は軽んじているし、侮《あなど》ってもいるのは（その具体例は際限ないのでイチイチあげない）、至極当然の成り行きだ。わたしだって、あなただって、そういうタイプは一人前の恋人扱いしないでしょうが。虎の威を借る狐《きつね》タイプが、決して愛されず、尊敬されないのは、国際社会でも例外ではない。米国だけでなく、他のすべての国々にも軽蔑《けいべつ》されていることは、国際会議に出てみれば、よほど鈍感でない限り、ひしひしと感じとれる。人も国も自己を尊敬しないものは、他者からもさげすまれるのは必至。

ソ連亡《な》き後、世界唯一《ゆいいつ》の超大国であるし、ジェズイット教団の宣教師を思わせるような一本気で狭量《きょうりょう》な正義感を振りかざすようなところがあるし、敗戦前夜の日本への原爆投下、朝鮮戦争のときの絨毯《じゅうたん》爆撃、ベトナム戦争時の北爆や枯れ葉作戦、湾岸戦争時のピンポイント爆撃など、敵に回すと完全に虫けら扱いにしてくれるから、これほどヤバイ国はない。だから米国が、慎重にも慎重を重ねて対処しなくてはならない国であるのは確かだ。

でも、純情一途《いちず》に身も心も捧《ささ》げるというのは、よくない。演技だったとしたら、少々救いはあるが、それは、演技を変える可能性があるからだ。

世の中には、もっと色々な男、じゃなかった国があるのに、せめてもう少し他に気がある素振りを見せたり、毅然《きぜん》とした態度をとってみたらどうなのだろうか。

第12章　人間が残酷になるとき

宇宙の日本人

モスクワの南東二〇〇〇余キロ、中央アジアの赤茶色の大平原が果てしなく広がる殺風景な空間がある。スターリンは、かつてここに強制収容所を設けた。行けども行けども周囲三六〇度、植物もほとんど生えない漠とした地平線が続く。一瞬、移動しなかったのではと錯覚するほどだ。気が滅入《めい》ってくる。たしかに、ここは天然の牢獄《ろうごく》、いや地上の地獄。囚人たちの逃亡の意志を萎《な》えさせるような圧倒的な無限の無……あるのは、天と地だけ。そのかわり、夜ともなると星空が素晴らしい。上下前後左右ゾーッとするほど底なしの暗黒に大小無数の星が惜しげもなく煌《きら》めく。

銅鉱が点在するせいか、地元のカザフ人は、ここをバイコヌールすなわち「褐色の宝」と名づけた。それが世界最大の宇宙基地の名前となった。収容所が無くなった後、この荒涼たる大地にソビエト政府が建設した物件だ。面積は四国の半分、アメリカ・ケネディ宇宙センターの九倍にも匹敵する。当時ソ連邦に属したカザフスタン共和国内に所在する。

一九九〇年一二月一日、ここのコスモナフト・ホテルの大ホールで、翌日宇宙に飛び立つ秋山豊寛《とよひろ》さんたちクルーの記者会見が行われた。メインとサブ両クルーの六人は打ち上げ二週間前からここに隔離され最終調整に入る。宇宙ステーションに病原菌を持ち込まないため、この棟への一般の立ち入りは厳禁。特別許可を得た者だけが、それも厳重に医学チェックされ、あらかじめ滅菌消毒を施されてやっと入れるという仕組みだった。この日の記者会見もガラス越しである。

秋山さんは、日本人記者からの質問には日本語で、ロシア人記者からの質問にはロシア語（？）で答えていた。この一年半毎日ロシア語の特訓を受けてきたはずである。だが、そのロシア語（？）で何と言っているのか、サッパリ分からない。並みいるロシア人記者一同も首を傾《かし》げている。だが、山下健二さん、慌《あわ》てず騒がず、さもこういう場で言いそうなことをスラスラ「通訳し」ている。

「さすがはベテラン、プロの通訳はああでなくちゃいけない……」

と独りごちながら、ちょうど一年半前、秋山さんと交わした会話を思い出した。

TBSの外信部にソ連発信ニュースの通訳に出向いたわたしは、秋山豊寛さんの顔を認めて声をかけた。

「ヨッ！　老体に鞭《むち》打っておじさんもがんばるねえ！」

まもなく五〇に手の届こうとする秋山さんが、無謀にも宇宙飛行士選抜審査に挑んでいるのを冷やかしたのだ。こんな憎まれ口を叩《たた》かれるのが決して嫌いではない秋山さんは、まるで猫じゃらしを見つけた猫のように駆け寄って来て傍らに座ると、

「おばさんこそ学習能力落ちてきているねえ、老化現象じゃないの。人を呪《のろ》わば穴二つ。

そういうの天に唾《つば》するって言うの。そう年違わないでしょーが」

「いいえ、秋山さんの学生時代は六〇年安保、わたしの頃は七〇年安保です。わたしは花の三〇代、秋山さんはもうすぐ五〇。この差は大きい。永遠に埋められませんよ」

「それが、結構いい線いってるのよ」

突然真面目《まじめ》顔で打ち明ける。

「四七歳にして視力は裸眼で一・五、虫歯は一つも無しでしょ。だから、一次審査にパスする自信はあるのよ。内臓も頑丈だから二次審査もＯＫだな」

と分析してみせる。

「ハハハハ、秋山さんの内臓が丈夫なのは、『瞬間湯沸かし器』でストレスが蓄積する暇を与えず他人に転嫁《てんか》しているからって、もっぱらの評判ですよ」

言ってから気づいたのだが、こういう皮肉が、もちろん響くようなヤワな人じゃあない。むしろ、こういうタイプは褒められると弱いのだ。

「でも宇宙に行きたいなんて、意外にロマンチックなところがあるんですねえ」

よっぽど言われた内容がくすぐったかったのか、秋山さんはおもむろに背中をモゾモゾとソファーにこすり付けるではないか。

「いやだ、蚤《のみ》でも飼ってんですか。移さないでください」

「いえね、たとえ選抜に漏れてもだねえ、タダで健康診断受けられるんだから、こりゃ儲《もう》けもんですよ。審査のあいだ仕事も堂々と休めるしさあ。これで運良く三次審査をパスして、モスクワの最終審査に行くことになりゃあ、出張扱いになるはずだから、手当が〇〇〇円に、代休が〇〇日と……」

何やら真剣に指を折りながら数え始めた。

「ウーン、そのセコさは、やっぱり絵に描いたようなおじさんですねえ」

うなったまま、しばし呆然《ぼうぜん》となったわたしに声がかかる。出番が来たというのだ。立ち上がりながら、つい秋山さんの肩を叩いて、

「がんばれ、中高年の星！」

と叫んでしまったものだ。

宇宙開発は、アメリカもソビエトも防衛産業に直結していたからして最高機密に属し、冷戦時代は西側の人間がソ連の宇宙船に乗るなどもっての他、想像を絶することだった。それが、ゴルバチョフのペレストロイカ政策が進む中で、突如現実のものとなった。ソ連宇宙総局がＴＢＳと商業ベースの契約を結び、後者の社員を宇宙船に搭乗させる、しかもその飛行士選抜、訓練、ロケットの発射、宇宙滞在から地球への帰還にいたるまでのすべてを撮影、中継させるというのだ。

日本人初の宇宙飛行士になれるかも知れない。世界で初めて、ジャーナリストが宇宙を訪問することになる。そんなわけで、この空前のプロジェクトの主役となる宇宙飛行

士候補には、TBS本社とその関連会社の社員多数の応募があった。結局第一回目の募集では、残念ながら秋山さんは第三次審査を通過できず、生き残ったのは、当時カメラマンだった菊地涼子さんただ一人だった。

宇宙飛行は高価なプロジェクトだ。どんな不測の事態が生じて予定された飛行士が搭乗不能になるかも知れない。そんな場合に備えて、宇宙飛行士は打ち上げ当日直前まで必ず正副のペアで同一メニューの訓練を受ける。ちなみにユーリイ・ガガーリンも、ワレンチナ・テレシコワも、実は正副の副のほう、メインではなくサブのほう、つまりバック・アップ要員だったのをご存知だろうか。ガガーリンの場合は直前になって正飛行士が怖《お》じ気《け》づいて乗らないと言い出したため、お鉢と人類初の宇宙飛行士の栄冠が回ってきたという。テレシコワが女性初の宇宙訪問者になれたのは、打ち上げ前日正飛行士に、おそらく興奮のあまり予定が狂って月経が始まってしまったためだ。

そんなわけで、モスクワでの最終選考に臨む候補は、最低でも二人以上は必要だった。当然再募集。

三次審査にはソ連から宇宙医学専門医が来訪して当たったから、わたしは通訳として選考経過に終始立ち会う羽目になった。それで不安になってきた。二回目の選考で三次審査まで残ったのは、二〇代ばかり。健康だが、新入社員に毛が生えた感じで、とてもジャーナリストと呼べる代物《しろもの》ではない。

そのうち、この若者たちにもあれこれ健康上の欠陥が検出されてきて、ソ連人医師たちもあせりはじめた。もしかしたら、誰も残らないのではと。わたしにまで、

「もうこうなったら、誰でもいいから推薦しろ」

と言い出す始末だ。それで、彼らの帰国する三日前だったか、

「ベトナム取材やレーガン大統領のインタビューの経験があって、ワシントンポスト紙に外国特派員ナンバー・ワンに選ばれたこともある素晴らしいジャーナリストがいる」

と切り出した。彼らは飛びついてきた。もう、こうなったら第一回目の募集で振り落とした原因には目をつぶる。四角四面でやたら厳格になったかと思うと、拍子抜けするほどいい加減になる。この落差のスケールはさすがロシア人だ。

　こうして再浮上した「非合法合格者」は、その後は嘘《うそ》のようなトントン拍子。モスクワでの最終審査では、若者たちが次々と平常心を失い、その精神的失調が即座に高熱や下痢や感冒という肉体的失調となって脱落していくのを尻目《しりめ》に、持ち前の図太さを発揮して最後まで生き残った。その後一年余の訓練を経て正飛行士の座を勝ち取り、いま目の前で打ち上げ直前の記者会見に臨んでいる……

　翌一九九〇年一二月二日モスクワ時間午後一時一三分三二秒、秋山さんたちを軌道ステーション、ミールへ運ぶ運搬機ソユーズTM11を乗せたロケットは、打ち上げられた。打ち上げ直前まで機内の宇宙飛行士たちと地上との交信を同時通訳することになって

いたわたしは、発射台が据えられた地点からおおよそ一・五キロ離れた観覧席傍らの小屋の中にいた。しかし、打ち上げ時の数分前後は通信が途切れる。その瞬間を待って小屋から飛び出した。

天が裂け、地が砕け、その前にわたしの鼓膜が破れてしまうのではないか。轟音《ごうおん》が大地を震動させ、それが足の裏にまで伝わってくる。その足を踏ん張り何かにつかまっていないと吹き飛ばされてしまいそうな猛烈な風。

ソユーズTMは本体が五〇メートル、総重量三〇トンだから、打ち上げ用二段のロケットを加えると八〇メートルほどの高さだ。その二五階建てのビルにも匹敵する巨大な物体が火を噴きながらフワリと浮き上がった。かと思うとまっしぐらに上に向かって突進し、みるみる小粒になって天空に吸い込まれていった。打ち上げ八分五〇秒後には地上四〇〇キロの軌道に到達していたのだから、秒速七六〇〇メートル、すなわち新幹線の一〇〇倍の早さで上昇していった計算になる。

そんな事前の準備で仕入れた知識が、頭の中を駆けめぐるのだが、どうしたことだろう。目頭と鼻腔《びこう》が痛いほど熱くなりビショビショに濡《ぬ》れている。自分は客観的で分析的で冷静な人間だと思ってきた。たかが、ロケットが打ち上がったくらいで感極まって涙を流すような人種に属すとは思っても見なかった。

それにしても、なぜ泣いてしまったのだろう。落ちつきを取り戻して分析してみた。

この間二年近くにわたってプロジェクトに関わり、人間を宇宙に飛ばすのに、数え切れないほど多くの人々の時間、能力、エネルギー、財貨、資源などなどが天文学的規模で費やされていくのを目の当《ま》たりにしてきた。その膨大な人知の結晶が瞬《また》く間にゴミのような点になっていく。人間の偉大さと宇宙を前にしてのはかないほどの小ささを一瞬のうちにこれほど目に見える形で強烈に見せつけられたことはない。その衝撃もあったのは否《いな》めない。

しかし、わが涙腺《るいせん》がゆるんだ最大の原因は、その偉大にしてはかない乗り物に、神様でも聖人でもない、ユーリイ・ガガーリンでもニール・アームストロングでもない、よく言えば人間らしい、どちらかというと欠点だらけの秋山豊寛さんという、わたしのよく知るおじさんが乗っていたせいだと思うのだ。

いや、ガガーリンだって、月面着陸第一号のアームストロング船長だって、身近な人々にとっては、きっと普通のおじさんだったに違いない。情緒反応の濃淡が、より身近に思える事物により強くあらわれるにすぎない。

アウシュビッツの女管理人と『殺人狂時代』

その意味では、戦争を防止する最良の手段は、なるべく多くの異なる国々の人たちが直接知り合うことだとも思える。だが、ことは、そう単純ではない。

何を、あるいは誰を、より身近なものとして感じとるかは人さまざまだからだ。「犬畜生なみの扱い」とか「虫けらのように殺す」などという慣用句から判断して生物学的に人間に近いほど身近に感じるかといえば、そうともいえないのは経験則で分かる。飼っていたかぶと虫やインコが死んだほうが見知らぬ他人の死亡報道よりもよっぽど悲しい。

もともと人間一般よりも動物一般のほうを身近に感じている人も山ほどいる。自国政府がベトナムに一平米に一つの割合で爆弾を投下するような絨毯《じゆうたん》爆撃を決行しようと、少しも動揺しなかった御婦人が、鯨を食べるのは可哀想《かわいそう》とさめざめと涙を流すこともある。流出した石油に汚染されて悶《もだ》え苦しむ水鳥に同情して、バグダッドに対するピンポイント爆撃に拍手喝采《かつさい》を送る人々もいる。だから、

「動物を愛する人は心が優しい」

なんて無垢《むく》なことをいう純情可憐《かれん》な人がいると、イライラしてしまって、つい、

「あら、ヒットラーも犬が大好きだったみたいね。人間よりもずーっと」

と嫌みたっぷりに水を差すだけではあきたらず、昔見た映画のシーンを語って聞かせたくなってしまう。

ナチス・ドイツがヨーロッパ各地に設けた収容所で強制労働、栄養失調、伝染病、銃殺や毒ガスなどにより六〇〇万人ものユダヤ人を虐殺《ぎやくさつ》したことはよく知られている。な

かでもアウシュビッツは最大規模の収容所で、常時二五万人が収容され、四〇〇万人以上が殺されている。この巨大な殺戮《さつりく》施設には、女子ども専用の区画があり、その責任者は女だった。

題名さえ忘れてしまったその映画のシーンというのは、この女管理人が、収容者をガス室へ運ぶトラックを送り出している場面だ。腕組みをして監督者然と立つ女の前をあとからあとからトラックが砂埃《すなぼこり》を上げながら通過していく。そこへ子犬が飛び出して来る。

「キャーッ」

少女のような悲鳴を発したのは彼女だった。すべての車をストップさせると、子犬に走り寄り、優しく抱き上げると、

「おお、可哀想に！」

と甘い声でささやきかけ、やわらかく頬ずりする……

自分の盟友たちを根こそぎ殺しまくり、数百万の自国民を粛清という名目で銃殺し強制収容所送りにしていたスターリンが、自分の生みの母親や愛娘《まなむすめ》に宛《あ》てた手紙の中で甘く優しい言葉と細やかな心遣いを示していたことを、われわれは知っているし、残虐《ざんぎゃく》非道なマフィアの親分たちが肉親に抱く情の濃さは、映画『ゴッドファーザー』でもお馴《な》染《じ》みだ。

そして、さすが天才チャップリンは、『殺人狂時代』で残酷な人の優しさ、あるいは優しい人の残酷さを見事に描いて見せる。チャップリン扮《ふん》する主人公は、次々に金持ちの独身女と結婚しては殺害し、その財産を奪っていく。身障者の妻と一粒種の可愛《かわい》い息子との潤沢で安らかな生活を維持するためだ。もちろん、家族は、主人公のそんな恐ろしい生業《なりわい》を知らない。一仕事終えるとチャップリンは、さも出張帰りのセールスマンのように愛する家族のもとに戻ってくる。細やかに妻と子どもの面倒を見、花の手入れをするときは、油虫さえ殺せない。息子が猫の尻尾《しっぽ》を引っ張って遊んだりすると、

「困ったものだ。この子にはちょっと残酷なところがあるねえ」

と心配そうにつぶやく。

人類は愛せても隣人はなかなか

たしかに物理的に近いことは、身近に感じることの条件になりやすい。しかし、聖書のマタイ伝は読んでいなくとも、「汝《なんじ》の隣人を愛せ」という戒めだけは非キリスト教徒にさえ広く知られていることを思えば、物理的に近い人すなわち隣人を愛することがいかに難しいか分かろうというもの。

現代日本教育界最大の難問「いじめ」がすぐに浮かぶ。あるいは、戦前戦中の日本人が地理的にも人種的にも近い「隣人」朝鮮人や中国人に対して発揮した嗜虐《しぎゃく》性。

H・ハイネ、F・カフカ、K・マルクス、S・フロイト、E・フッサール、G・ルカーチ、G・マーラー、H・アーレントなど、一九世紀末以降繚乱《りょうらん》と咲き誇った近代ドイツ文化がユダヤ人の貢献無しに考えられないように、またドイツから中欧、東欧にまたがる地域に居住したユダヤ人の言語イディシュがドイツ語に極めて近いことからも察せられるように、アイゼンシュタインとかワッセルマンとか世界各地に散らばったユダヤ系の人々の圧倒的多数がドイツ語名前であることからもわかるように、長い間ドイツ人にとってユダヤ人は常に文字どおり「隣人」だったのだ。その「隣人」に対してドイツ人が示した残酷な仕打ちは、おそらく空前絶後ではないか。

最近の事例では旧ユーゴスラビアの多民族戦争がある。わたしがプラハのロシア語学校で同級で大の仲良しだったヤースナは、ユーゴスラビア人でセルビア族とクロアチア族の共通語セルボ・クロアート語を国語としていた。セルビア語とクロアチア語は、大阪弁と京都弁ほどの違いしかない、同じ国語どころか同じ関西弁、セルビア人とクロアチア人は大阪人と京都人みたいなもの、同じ日本人どころか同じ関西人みたいなものと理解していた。

それが一九九五年の秋、新ユーゴスラビア連邦の首都ベオグラードを訪れ彼女を探し出したところ、彼女はボスニアのムスリム人であることが分かった。彼女自身も彼女の両親もイスラム教徒ではないし、そんなことは全く意識していなかった。それが、旧ユーゴスラビア連邦が崩壊し、旧連邦加盟国間の、そして各国内の民族間の血で血を洗う紛争が激化する中で、いやおうなく自覚させられたという。車を一時間ほども走らせれば国境を接するボスニアとは、交通も電話も郵便も遮断されている。年金生活に入り、故郷のサラエボ（ボスニアの首都）に住む両親とは、もう四年間も会えず、アメリカに住む弟経由で連絡を取っているというのだ。

セルビア人が多数派である新ユーゴスラビアで、非セルビア人はどんどん住みにくくなっているそうだ。官庁につとめていた彼女は、ボスニア出身のムスリム人であることでいづらくなり退職せざるを得なくなった。

「誰の目にも気づかれない、空気のような存在になりたい」

それほど彼女は追いつめられていた。いつも冷静で抜群に頭が良く、クラス一番の優等生であった彼女の言葉にたじろぎ、胸がつまった。

さらに驚くべきことがあった。同じ言語の二つの方言ぐらいに思っていたセルビア語とクロアチア語を、どんどん人工的に「遠くする」政策がクロアチア政府によってとられているのだ。信じがたいことに、これにクロアチアのジャーナリズムが全面的に協力している。以前はクロアチア語のテレビ、ラジオ、新聞雑誌を、ちょうど京都人が大阪語を理解するように辞書も無しに九九％理解できたというセルビア人が、今ではチンプンカンプンになってしまったというのだ。

ているのに、よく「一定の国土と言語と固有の文化を共有している民族なるものの概念を規定するのに、よく「一定の国土と言語と固有の文化を共有し

ていること」などといわれるが、これがいかにあやふやで操作可能なものであるか、目の当たりにした感がある。

さきほど「ユダヤ人」という言い方をしてしまったが、これは、あたかも人種学的にそういう民族があるような印象を与えてしまう。モーゼの教えを信じる人々という規定でいけば、正確にはユダヤ教徒と言うべきである。ところが、ユダヤ教徒を祖父母や親にして生まれた者は、他の宗教の信者であろうとユダヤ教徒であるという「血の論理」で判断しようとする立場もある。

たとえば、ナチスの第三帝国政府は、ニュルンベルグ法によって「たとえユダヤ教徒でなくとも、祖父母四人のうち三人がユダヤ人ならばユダヤ人とみなす」という概念規定をしている。

本来身近な者を遠のかせ、可変的なものを固定的なものと捉《とら》えていくフィクションによる観念操作、それも国家的規模の観念操作の恐ろしさを、ここに見ることができる。

手塚治虫の『アドルフに告ぐ』は、幼なじみで無二の友だった二人のアドルフという名の少年が、この観念操作の虜《とりこ》になって憎悪《ぞうお》し殺し合う敵同士になっていくプロセスを手に取るように描き出している。

「愛国主義はゴロツキの最後の隠れ屋」

こう述べた一八世紀イギリスの文豪にして英語辞典の編纂《へんさん》者サムエル・ジョンソン博士に対して、アムブローズ・ビアスは『悪魔の辞典』で、

「いや、愛国主義はゴロツキの最初の隠れ屋」

と断ったうえで、

「野心家なら誰でも点火したがる代物《しろもの》で、点火しやすくすぐ燃え上がるガラクタ」

と定義している。そして、愛国者については、

「政治家には馬鹿《ばか》みたいに騙《だま》され、征服者には手もなく利用される人間」

と言い当てている。

本来人間は生命体固有の自己保存本能を持っており、その意味では極めて利己的かつ自己中心的な存在である。基本的には自己、自己の身内、自分の村、自分の民族というふうに自分に関わりが深い順に大切にする。だから、生まれ育った国を愛するというのは、極めて自然な感情なのだ。したがってそれをわざわざ大声で主張したり、煽《あお》ったりするのは、ちょうど性欲を煽るようにお手軽でいかさまな行為だという意味ではないだろうか。

観念操作にもっとも頻繁に用いられるのが、この「国」とか「民族」とかいう「点火しやすく、燃え上がりやすい」ツールだ。また体系だった手段としては、排他的な宗教

とかイデオロギーとかがある。これも、一種の「異民族」を作り出す装置のようなものだ。人を人とも思わなくなる魔法のようなものといおうか。その人と人との間に障壁を作り出す力は途轍《とてつ》もなく大きい。

十字軍や魔女狩りや旧教徒が新教徒を襲った聖バーソロミューの大虐殺などの例を挙げるまでもなく、「虫も殺せないような優しい子どもだった」というオウム教の信者たちが最近起こしたいくつものおぞましい殺人事件が、そのことを雄弁に物語る。またスターリン時代のソ連や文化大革命時の中国、カンボジアのポルポト派による革命の大義のもとでの自国民大虐殺。あるいは「ドミノ倒し的なインドシナ半島の共産主義化をくい止める」という名目で北朝鮮や北ベトナムに対する絨毯爆撃を正当化した米国。

マクロからミクロへ

観念操作によって心の中に形成されうる強固な障壁を克服する手段はないものだろうか。あって欲しい。どんな遠い異国の人々でも、物理的には近くにいるのに得体の知れない他人でも、身近でかけがえのない人々にしてくれる魔法のような装置がないものか。

優れた小説や芝居や漫画や映画やテレビ番組には、時々そんな不思議な力が秘められている気がする。「他者」にたいする疎遠《そえん》化指向のフィクションに対する逆方向の、親密化指向の想像力をかきたてるフィクション群である。

　身分制度の克服による人権の確立と近代小説成立過程が軌を一つにして進んできたことを思い起こしてほしい。近代小説の幕開けはセンチメンタリズム（主情主義）から始まるが、この文学形式においてはじめて人間の個人的感情が、市民権を得る。そして逆説的なようだが、この人間の生活と感情のあやを個別具体的に詳細に描けば描くほど、逆に人間すべてに普遍的な共通点が認識されるという結果を生んだのだった。それは、ちょうど万物が、天と地ほどの差があるはずの物質でさえも、ミクロなレベルでは電子と陽子と中性子という同一の要素に分解されるのに似ている。

　一八世紀ロシアの作家N・カラムジンは、『あわれなリーザ』によって、ロシア・センチメンタリズムの祖とされている。貴族の青年と恋に落ちたものの捨てられた農奴娘が入水《じゅすい》自殺をして果てるというあらすじなのだが、当時としては破格の平易な文体と新鮮な恋愛心理描写によって読者の心をとらえた。「百姓娘でも恋ができる」という作中のメッセージは、支配階級に属した当時の読者層にとって驚きの大発見であった。この伝統は、一九世紀に入って自然主義、ロマン主義、そして写実主義の作家たちに受け継がれた。ツルゲーネフの『猟人日記』を初めとする小説群などは、その流れの中にあるのだが、今から思えば至極当然な「農奴とて同じ血の流れる人間である」という認識をジワジワと広め、それが一八六一年の農奴解放令につながったともいわれている。

あるいは、H・B・ストー夫人が黒人奴隷《どれい》の実地見聞にもとづいて著した小説『アンクルトムの小屋』は、「黒人もわれわれと少しも違わない人間である」という当たり前の認識を白人たちの間に広めるのに寄与し、後の奴隷制廃止を促進させた、とほとんどの歴史辞典に記されている。

「昔の人はずいぶん純情だったのねえ。それにしても、たかが創《つく》りものの物語でまさか」

わたしも半信半疑ではあったのだが、つい最近『コーカサスの金色の雲』（プリスターフキン著、群像社）という小説を読んで以来、ロシアの軍事介入に苦しむコーカサスの片隅の小民族チェチェンの運命が他人事ではなくなってしまった。

スターリンは極東の朝鮮人を中央アジアに、ユダヤ人を極東に、バルト人をシベリアにと将棋のコマのように民族の強制移住を盛んにやった。チェチェン人も対独協力を口実に戦争末期根こそぎ中央アジアに移され、その自治共和国は地図から抹消。これが、『コーカサスの金色の雲』の舞台背景だ。マクロなレベルでは、歴史の教科書に一、二行ほど記されるだけで終わってしまう事件に過ぎない。しかし、小説家の筆は、まるで顕微鏡のように、その一、二行の奥にひそむミクロな宇宙を見せてくれる。強制移住の生き地獄の現場に生きる人々と同じ時間と空間をわたしたち自身に体験させてくれる。そして、フィクションだと頭では分かっているはずなのに、主人公の少年たちのその後が気にかかって仕方ない。あの民族の悲劇を生き延びたとすれば、もう初老にさしかかるだろうチェチェンの少年が、今ふたたびロシア軍の熾烈《しれつ》な討伐作戦下にあると思うと、居ても立ってもいられない。

第13章　強みは弱みともなる

モスクワのインドネシア人

最近、ドギツイものの何となく間の抜けた話を自動小銃から乱射するような友人を得た。仕事がら海外に行くことの多い人で、仮に須藤敏夫さんと名付けよう。この人は哲学徒にして神学徒で、しかも自称スパイでもあるからして、皮肉屋で偽悪的なところと、いやに説教くさく正義漢ぽいところとが奇妙なごった煮状態になっている。近頃この国ではなかなか見かけない青年で、話していて退屈しない。いつも少し気取って、普遍的抽象的命題を投げかける形で話を始める。たとえばある時、こんなことを言った。

「人間にとって弱みとは、何だと思う?」

いきなり、そんなこと問われて、

「さあー」

なんて、ちょっと困惑したふうに頭を傾《かし》げると、嬉《うれ》しそうに鼻の穴を膨らませながら、物々しいテーゼを口にする。

「どの人間にも共通する弱みなんて存在しないのよ。弱みとは、その人間が弱みと思いこんだ時点から弱みとなるんだなあ」

「アレッ、そうだろうか」

などと、こちらが一瞬考え込んだりしようものなら、ギョロ眼を輝かせる。

「インドネシアのスカルノ大統領がね」

「ああ、あのデビさんを第三夫人にした、インドネシア建国の父ね」

「そうそう。その故スカルノ大統領がモスクワを訪問したとき……」

須藤さんは言いたくて言いたくて仕方ないのに、こちらをじらそうと勿体《もったい》つけている。でも結局自分のほうがじれったくなったらしく、一気に話を吐き出した。あまりに急ぐものだから、息継ぎもできない様子である。

「ソ連のKGBが近づけた美女に引っかかって、その美女と過ごしたベッドでの一部始終をバチバチ写真に撮られちゃってね。もう、ありとあらゆる狂態、尻《しり》の穴までしっかりカメラにおさめられちまった。この写真を見せてスカルノを脅し、ソ連の思い通りに動く傀儡《かいらい》に仕立て上げようと、KGBは考えたわけね。

写真を見せつけられたスカルノは、震えが止まらなくなったんだけど、それは怖かったせいじゃなくて、喜びのあまりだったの。キャーキャーはしゃいじゃって、写真持ってきた男を抱きしめんばかりにして言ったそうだよ。

『いやあ、素晴らしい写真をありがとう。ほんとにありがとう。おかげで明日から今までの一〇倍楽しめるよ』

これ以後KGBは、相手を脅そうとするとき、女だけでは、相手を落とせないこともある、と学んだみたいなんだ。酒に睡眠薬入れて酔い潰《つぶ》して、眠っているところを裸にして男と絡《から》み合ってる写真もバチバチ撮るようになったらしい。こんな写真、本国のマスコミに送りつけると脅されたらビビるでしょう、普通？」

それにしても、したたかな政治家とは、一流の脚本家兼演出家兼俳優である。たしかに、一夫多妻を公認されているイスラム教徒であり、その艶福家《えんぷくか》ぶりを自他ともに認めるスカルノではある。しかし、いやしくも一国の元首である彼が、国賓として迎えられているはずの国の政府機関に女との濡《ぬ》れ場の写真を撮りまくられて、内心ムッとしなかったはずはない。それでも米中ソという各大国との距離を巧みにとりながら、建国途上の自国の独立を維持していかなければならない彼は、激して我を忘れることなく、とっさの判断で巧みにＫＧＢの矛先をかわしてしまった。さすが数えきれないほど多くの修羅場をくぐり抜けてきたスカルノは、ＫＧＢより何枚も上手だ。彼なら、男との濡れ場写真を突きつけられても、屁《へ》とも思わないんではなかろうか。

というわけで、わが友須藤さんの導き出した、

「弱みとは、その人間が弱みと思いこんだ時点から弱みとなる」

なる戒めは、脅迫された場合の心構えとしては、実に有効と思われる。

シベリアの恨みを宇宙で晴らす

須藤さんのテーゼを聞きながら、わたしの脳裏には、弱みなるものに関する別のバー

ジョンの命題が浮かんだ。その元になった経験からお話ししよう。

目に見え手でつかむことのできる器官にめぐまれているため、男の子はすくなくとも部分的にその個所に自己を移す（疎外《そがい》する）ことができる……はじめから、女性は、男性にくらべて、自分の目にはるかに不透明で、生命の不思議な不安にいっそう深くつつまれている。男の子は、彼がそのなかに自己を認識する第二の自我(alter ego)をもっているということから大胆に自己の主体性を荷なうことができる。彼が自己をその中に移すところの物までが自主と超越の権力の一つの象徴となる……少女は自己のいかなる部分にも自分を肉体化することができない。

（ボーヴォワール著『第二の性』新潮文庫）

「人は女に生まれない。女になるのだ」という名文句で始まるこのウーマン・リブの記念碑的著作を最初に読んだのは、高校生の頃だった。

のっけから延々とペニスの有無が男女の幼年期の自己形成に及ぼす作用が論じられていて、その論旨の余りにも大げさで滑稽《こっけい》なまでに生真面目《きまじめ》であるのにいささか辟易《へきえき》しながらも、

「男の子にあっては、排尿作用は自由自在な遊びのようなかたちで、それは自由を発揮できる遊戯につきものの魅力をそなえている……吹上げは思うままの方向に向けられ、尿は遠くへ飛ばすことができる。男の子はこのことから万能感を手に入れる」

というくだりでは、

「そういえば、自分も幼稚園の頃、男の子のように立ちションを旨《うま》くできないのが悔しかったっけ」

と、いつのまにかうなずいていた。

もっとも幼年期に味わった男性の排尿器官に対する羨望《せんぼう》の念は、ボーヴォワール女史の挙げる症例とは違って、わたしの場合、男性に対する劣等感にはつながらなかった(と思う)。ただし、運命の女神はその後二度、すなわち都合三度わたしに、「目に見え手でつかむことのできる器官にめぐまれて」いないことを心底悔しがらせた。

二度目は、一〇歳のころ、虫垂炎で入院した時だった。手術後、隣のベッドの同年輩の少年が横になったままいとも易々《やすやす》と尿瓶《しびん》にオシッコを流し込んでいるのが、どれほど羨《うらや》ましかったことか。わたしのほうは、術後の耐え難い痛みをこらえながらベッドから下りてお丸にしなければならなかったのだから。

そして、一九八四年にTBSテレビのシベリア取材に通訳として同行した時が三度目である。気温が零下六〇度近い屋外での撮影。刺すような痛みに襲われるため、とても顔を出していられない。取材陣一同眼のところだけくり抜いた毛糸のマスク帽を被《かぶ》り、その上をマフラーで幾重にも覆《おお》っている。眼の表面の水分さえ凍るため、瞬《まばた》きする度にシャーベットができていく寒さの中で尿意は脅威となった。排泄《はいせつ》は、わたしにとって一〇枚以上重ね着しているのを全部剝《は》がし、素肌を外気に晒《さら》すことを意味した。

ところが何ということだ。水分をなるべく控え、「排尿か恐怖の寒気か」というジレンマに身悶《みもだ》え苦悩するわたしをしりめに、男どもは競うようにキャーキャーと奇声を発しながら嬉々《きき》として雪原に放尿しまくっているではないか。もう完全に幼児退行している感じなのだ。なかには自社のロゴを白地に黄で書いた器用な奴《やつ》もいた（当時のＴＢＳのロゴは、今のような活字体離《わか》ち書きではなく、筆記体続き書き風だったから、社員がオシッコしながらも愛社精神を表現するのに、まことに都合がよかったのである。いま思えば、この優れもののロゴを変えたあたりから、ＴＢＳの社運は傾いてきた気がしてならない）。

しかもわたしに許されていた空間が三方を申し訳程度に板っ切れで囲った凍《い》てついた地面のまん中に掘られた直径二五センチほどの穴であったのに対して、男どもは果てしなく広がる凍土のどこをも放尿場所に選び取ることができた。

プラス三六度の体温という環境から放出される琥珀色《こはくいろ》の液体は、一〇〇度近い温度差の冷気に触れてたちどころに濃密な水蒸気と化す。その乳白色の濃霧をにらんでいると、不条理の三文字がクッキリと浮かんでくるような気がした。

ついにわたしのジレンマのバランスが崩れた。おかげでわたしは、一大発見をしたのだった。排泄欲とは、羞恥心《しゅうちしん》はおろか、あの零下五九度の寒さに対する感度をはるかに凌《しの》ぐ強烈な欲求なのだということを。自慢ではないが、一日中我慢していた末のわたしのそのときの排尿のかなりの勢いと速度にもかかわらず、要した時間は随分長かった。にもかかわらず、放尿中さらされていた皮膚は、まったく寒さを感じなかったのである。しかも、排泄により、極度の緊張から解放され弛緩《しかん》した肉体と神経は、心地よい安堵《あんど》感《かん》に包まれて、すっかり穏やかかつ寛大になったわたしは、

「あんなところ構わずいつでもオシッコができる連中には絶対に味わえない安らぎだわ」

と男どもに対する優越感さえ噛《か》みしめたのだった。

さて、秋山豊寛さんが日本人として初めて宇宙空間を訪れてから何年も経《た》ってしまったが、この宇宙飛行士誕生に医療選抜の段階から通訳として関与したわたしは、今度は宇宙空間における排尿というテーマにぶつかった。

無重力空間では、あらゆる水分は球状の水滴となって、空中を浮遊することになる。

自分の、ましてや他人の排泄物とともに空中を遊泳するのはたまらないから、吸引器を排泄個所に当てがってするようになっている。その当てがう部分が、男性用は筒状になっていて、個人仕様なので予《あらかじ》め宇宙飛行士は自己のサイズを申告しておかなくてはならない。それを大体が皆大きめに申告してしまうというのだ。

宇宙開発産業という分野は軍需産業と直結しているものだから、米ソ冷戦時代は米国、ソ連ともにお互い分厚いベールを何重にも被せて極端な秘密主義をとっていた。ペレストロイカ政策が実施されるようになってからは、この部門における米ソ間の交流も活発になり、かなり細部にいたるまで公開し合うようになった。

そして、そのときになってはじめて米ソの宇宙関係者はお互いに確認し合ったそうである。ペニスのサイズの申告については、米ソどちらの宇宙船搭乗予定者とも、大きめに申告してきたということを。冷戦時代を通じて、鉄のカーテンの両側でずーっとそうだったのかと思うと、何か震えが止まらなくなるような崇高な感動を覚えるではないか。

そういえば、ペレストロイカとグラースノスチを打ち出したゴルバチョフの当時好んで用いたうたい文句というか、キーワードに、

「全人類的価値」

というたいそうおおげさなコンセプトがあったのである。

いままでのソビエト連邦の党も国家も「階級的価値」すなわち「労働者階級の価値」

を何よりも優先し、「資本家階級の価値」を敵視してきたが、核の脅威の前には労働者も資本家もない。米レーガン大統領は、ソビエト連邦を「悪の帝国」呼ばわりしていたが、核の脅威の前では、敵も味方もないじゃないか。たしかそういう意味でゴルバチョフは盛んに「全人類的価値」というフレーズを使っていた。だが、うたい文句の宿命で、一九九〇年頃には、すでにフレーズだけ一人歩きして一種の流行語になっていた。だから、先の話をはじめて聞いたとき、真っ先に思ったものだ。

「ああ、ゴルバチョフの言う『全人類的価値』ってこのことだったのね。いや厳密に言うと、『人類半分の価値』か」

宇宙船の壁面の外側は空漠たる宇宙が無限に広がる。だから地球上の大気とほぼ同じ組成に保たれる船内の空気は、搭乗者の命と健康に直結する貴重品だ。いくら通念上サイズは大きいほうがよいということになっているにせよ、宇宙船内の居住環境を犠牲にしてまで、虚勢を張らざるを得ない男たちの、「目に見え、手でつかむことができる器官」ゆえの、女の目からすると哀れで無駄な気苦労を知るにつけ、やはり物事一長一短、楽有れば苦有り、世の中旨くできていると、ついほくそ笑んでしまった。いみじくもボーヴォワール先生の言うように、「第二の自我」であり「主体性を荷ない」「自主と超越の権力の象徴」ともなる器官のことだから、そのサイズをめぐる男どもの一喜一憂には悲喜劇の影がつきまとう。

大学を卒業し、結婚してから医大に入り直した女友達がいる。人体解剖の時間。時折、標準サイズをはるかに越えたたいへんな逸物を持った死体が運び込まれて来るそうだ。

「す、す、すげえな！　俺負けるな！」

と同級生（当然その大多数は年下）の男の子たちが口々に溜息《ためいき》をつく。そんなとき彼女はなるべくさりげなく、それでいながら聞こえよがしに呟《つぶや》くのだそうだ。

「あら、こんなもんじゃなくて？　わたし、こんなもんだと思ってたわ」

「へえ、Uさんの旦那《だんな》さんてス、ス、スッゴイ方なんですねぇ！」

とたんに医学生たちの彼女を見る目が一変する。そんなふうに、羨望と尊敬の眼差《まなざ》しで仰ぎ見られる快感がたまらなくて、

「つい見栄《みえ》を張っちゃう」

という彼女だが、どうやら逸物の大小ごときに異常にこだわる男たちをからかうのが面白くて仕方ないのだ。

身近な男に連帯して「見栄を張る」という女のタイプは、実はイタリアの小咄《こばなし》が好んで取り上げるテーマでもある。

「先生、今日は息子のことでご相談申し上げたいのですが」

「おや、おいくつになりましたかねえ」

「もう一八になりますの。困っておりますのよ。そのー、あのー、おチンチンが、五歳の男の子ほどなんですの」

「えっ、すると、これくらい？」

と医師は、小指を立てて見せる。

「いやーだ、先生、だから申し上げているではございませんか、五歳の男の子ほどだって」

というと、女は片手で、床から一一〇センチぐらいの高さを示した。

とまあ、「第二の自我」のサイズをめぐる気苦労は、周辺の女まで巻き込む勢いで、まことにご苦労さんなのだ。

そこへいくと女は、短小コンプレックスなんて無縁。自己のサイズに関する客観的な認識を持てないし、持とうともしない。そんな女の無頓着《むとんちゃく》さ加減を、次のロシアの小咄は実に見事に伝えている。

「あなた、指を入れるときは、指輪はずすっていう約束だったじゃないの」

「これ、腕時計だよ」

話がこれ以上落ちてはならないところまで堕《お》ちたところで、少し格調高く戒めることにする。

「強みは弱みともなる」

肥大願望症《ギガントマニア》の落とし穴

右の戒めに通ずるようなことを、地中海世界を舞台にしたスケールの大きい歴史物語で知られる塩野七生《ななみ》氏が述べているのを発見したときは、夜も眠れぬほど興奮してしまった。

歴史物語を書き続けているわたしの心の中には、ある仮説が確かなものになりつつある。それは、国家の興隆も衰退も、いずれも同じ要因の結果であるという仮説だ。

ヴェネツィアは、外からの人の受け入れを拒否することで大を為《な》したのであった。だがまた、この方針を貫いたことによって衰退せざるをえなかったのである。古代ローマとて同じだ。こちらは反対に門戸を開いたことで大国になったが、衰退も同じ要因によって起こったのである。国境を広げ人びとに均等な機会を与えたので大帝国になりえたのだが、それによって首都ローマが空洞化するのまでは防げなかったのだ。

（『再び男たちへ』文藝春秋）

そして最近また「強みは弱みにもなる」というテーゼが、頭の隅にこびりついて妙に気にかかるようになった。それは、肥大化の一途をたどるわが国の報道機関の、肥大化しすぎるゆえのあまりの無力を裏づける事態がまたまた白日のもとに晒《さら》されてしまったからだ。

すでにお気づきのように、オウム報道をめぐる巨大マスコミの「ウドの大木」ぶりのことである。

なぜ、一九八九年当時から、大マスコミのバックも警察の援護もないフリーのジャーナリストで、いかにも小柄で華奢《きゃしゃ》なうら若い女性の江川紹子さんが、すでにかなり危険で怪しい兆候を見せ始めていたオウム教団を単身で取材し告発し続けていたというのに、日本全国のみならず、世界各地に支局網を有する大新聞やテレビ局は、信じがたいほどにこの情報に対して鈍感だったのだろうか。宗教法人法や「信教の自由」の枷《かせ》があって、慎重を期さなくてはならないのは分かる。でも、それなら一定期間記事にはしなくとも、記者グループ、あるいは少なくとも一人の記者ぐらい張り付かせておく配慮があっても良かったではないか。それをしなかったのは、アンテナの感度が鈍化していたのである。なぜ、オウム告発の記事を掲載する勇気を持ち得たのが、八九年当時は、「サンデー毎日」、その後は「週刊文春」という、読者数数百万から一〇〇〇万前後に達する大新聞や数千万単位の視聴者を誇るテレビ局に比べれば、マスコミというよりも、せいぜいミディコミというべき週刊誌なのだろうか。

そこには、「大男総身に知恵が回りかね」などの成句などではとうてい説明しきれない、言論機関の規模の法則のような、一定の原理が働いているとしか思えない気がする。たとえば、オウムよりもはるかに巨大で現実政治に対する関与の深さでは比類ない某宗教団体の不祥事についても、巨大マスコミはまるで絶対的な不文律があるかのように報じない。これは「信教の自由」などというキレイごとではなくて、すさまじい動員力を誇るこの宗教団体の信徒による購読ボイコットや抗議の殺到という営業に直結する損失を恐れてのことだ。では、なぜより弱小なはずの週刊誌は、それを恐れる程度がより少ないのか。

失うものが、より少ないからである。不買運動で失う読者を五％として、一〇〇〇万部の新聞は毎日朝夕五〇万部ずつの減紙であるのに対して、一〇〇万部発行の週刊誌は週一度五万部減で済む。

物理学の初歩で習った「作用反作用の法則」のように、影響力が巨大であればあるほど、それに対する権力はじめ各方面からの圧力と監視、規制が増すということもある。

程度の差はあるだろうが、購読者の拡大を目指さない新聞は希有《けう》だし、視聴率を無視しうるテレビ局は皆無に等しい。報道機関がより多数の受信者を求めるのは、その存在価値そのものから発する宿命みたいなものである。しかし、伝達範囲が広がれば広がるほど、第四の権力といわれるほどまでに影響力が増せば増すほど、必ずしも報道機関の存在の拠《よ》り所《どころ》たる「国民の知る権利」の継続的な実現に不可欠な自由と不当な圧力をはねのける勇気が増すとは限らず、むしろ現実は逆になっている。

先の大戦でも、大本営発表の下請けに真っ先に成り下がったのは、大マスコミだった。これは、似通った全体主義を奉じた枢軸国《すうじくこく》仲間、ドイツやイタリアでも同じだったらしい。

この苦い教訓に学んで、大戦後イタリアでは報道機関の規模を抑えることが、報道がファッショに走らないための歯止めであるとの認識のもと、報道機関の合併や寡占《かせん》化を制限する法律まで設けたという。

ドイツはどうだか知らないが、わが日本では、そういう教訓の生かし方はしなかった。ご存知のように、諸外国からの非難の的となっている日本企業の悪名高い系列化という病を報道機関も患《わずら》っている。それもかなり重篤《じゅうとく》だ。放送局など、地方局を在京キー局の傘下《さんか》に従えるばかりでなく、有力新聞社とも密接な関係を持つ。

加えて、そう遠くない過去に国民の圧倒的多数が水田稲作を営んでいたということから来る、それ自体はプラスマイナス両面合わせ持つ横並び意識が、それが最も相応《ふさわ》しくない報道機関に異常に拡大再生産された形で出てしまっている。ほとんどマスコミの属性になってしまっている。先の天皇の死から「大喪の礼」にいたるマスコミ報道の一糸乱れぬ見事な画一化ぶりや、九五年三月のオウム強制捜査以降の、それまでとは打って変わったオウム報道の節度も倫理もかなぐり捨てたヒステリーぶりには、空恐ろしいものがあって、わたしは真剣に亡命を考えたものだ。

ところで、畳と女房は古くても畳と女房であり続けるが、情報は古くなると情報ではなくなってしまう、というのは通訳業、とくに同時通訳業を飯の種にしている身にとって常識中の常識。情報の送り手が反復する情報や、すでに受け手が知っている情報、つまり古い情報は、通訳の際、時間が足りない場合はどんどんカットして構わない、その代わり新しい初耳の情報だけは取りこぼさない。これが通訳の基礎技術の背景を成す原理である。

マスコミが流す情報には、このすでに陳腐化して言葉の真の意味での情報ではなくなってしまった情報の割合が余りにも多すぎる。

こういう古い情報の反復の役割は何か。皆が同じ情報を共有していることを確認することに心の安定を求める、同じ共同体に属すことを確認しあうような役割ではないだろうか。

これは、むかし文学ジャンルの歴史を少々かじった時の太古の歌に関するうろ覚えの記憶をよみがえらせてしまった。太古の歌には近代の抒情詩《じょじょう》のように個人たる作者はいない。古代ロシアの民衆の歌を文学的時間という観点から分析したＤ・Ｓ・リハチョフは、聞き手による歌の感受という側面に注目して、次のように述べている。

それは創作されるというよりも演じられるものだ。ここでは、歌い手だけでなく聞き手も演者である。歌われている間、そこには歌い手（演者）のみがいて聴衆はいない。歌には、誰もが歌の主人公（言葉の主体）となれるように、歌われるテーマも状況も極端に一般化している。

（Ｄ・Ｓ・リハチョフ著『古代ロシア文学の詩学』）

お気づきのように、右のような太古の歌の特性は、今の多くの歌謡も持っている。そして驚くべきことに、ニュース性を失った情報を繰り返し報道する送り手と受け手の関係が、右の聞き手が歌い手と一体化した関係に相似してくるのだ。情報の送り手と受け手が相対峙《たいじ》するのではなく、同じ方向を向いているという関係。

その後の文学ジャンルの発展の歴史をたどると、文学の言葉が、受け手の異議を前提としない、語るに足る権威ある人々や権威ある行為、万人に認められた美しきもののみを語るための共同体の意識を代表する言葉から、個人たる創作者の誕生と近代的自我の確立とともに、より狭い個人の意識を代表する言葉に進化していくことが分かる。そこに表現される意識を共有できる人々の幅はせばまっていくから、当然その言葉は、受け手の異議を念頭においた言葉になる。

共同体の意識を表現している限り、受け手の反論を前提としないかわり、表現する内容形式両面にわたってさまざまな制約があったのだが、より狭い個人の意識を表現していくとともに、表現の内容形式の自由度は飛躍的に高まっていく。

肥大化するマスコミの言論の自由との矛盾の根源は、こんなところにある気がする。

今も放送されているのかどうか知らないが、むかし関西方面のラジオ番組に、「近鉄アワー」という近鉄バッファローズ球団のファンのための番組があった。内容は近鉄に関する好ましい情報一色。「太田幸司物語」とか、「鈴木啓示物語」なんてのを延々やっていた。視聴者からのお便りを紹介するコーナーがあって、あるとき司会者が興奮したことがあった。

○○市の××さんからのお便りです。「いつも、楽しく拝聴しておりますが、この番組は、ちょっと近鉄に偏向しすぎとるのと違いまっか」。何いうとるねん、これ。あれ、「阪神ファンより」だと。阪神ファンなんぞに、この番組聞いてもらわんでもええわ！

得ること失うこととはよく言ったもので、巨大マスコミの辛さは、「この番組見てもらわんでもええわ」「この記事読んでもらわんでもええわ」とケツをまくる覚悟が不可能になったことではないだろうか。

「大量生産に適さない」ものの筆頭によく「料理と教育」があげられるが、ジャーナリズムもこの範疇《はんちゅう》に入れるべきなのかも知れない。

エピローグ

わたしが通訳になったきっかけ

二〇代も半ばを過ぎると、遅ればせながらわたしも焦《あせ》りはじめていた。おのれの進路、行く末を軌道に乗せるのを先延ばし先延ばしにして、現実離れしたバラ色の将来図ばかりを思い描いてきた報いが、一挙に襲ってきた感じというのだろうか。

大学院の修士課程を終えたものの、非常勤講師の収入だけでは口に糊《のり》することさえ不可能だった。何しろインフレ係数の算出根拠に原稿料と大学の非常勤講師料を用いたなら、日本にはこの三〇年間、インフレは存在しなかったことになるだろうぐらいだから。親からは、まあ当然のことながら、もうこれ以上寄食させるわけにはいかない、家を出て独立しろと追い立てられてもいた。家庭教師の回数を週二回から四回に増やせば、さし当たって食うには困らないかもしれない。でも、これを生き甲斐《がい》にし、自己実現の手段にする、すなわち終生の職にする気は毛頭なかった。

そんな「迷える小羊」状態にあったわたしは足しげく図書館通いをしていた。ある日何気なく「女性学」コーナーの書架をのぞくと、『女、三〇歳にして立つ』という本のタイトルが目に飛び込んでくるではないか。その頃は、「女性学」なんてのが学問としてもてはやされたりしていて、図書館にも特別コーナーが設けられていたのである。「なんで女が立つのだ」という疑問が頭をかすめたときには、もう手のほうは、パラパラと頁《ページ》をめくり、目は活字を追っていた。三〇歳を目前に控えて今後の生き方を探しあぐねていたわたしのような読み手を、どうやら想定している本らしい。各界で活躍する女性たちに対するインタビューを集めたもので、三〇歳前後に、ある決意や困難克服をきっかけに彼女たちがどんなふうに自分の仕事や生き方を探り当て、今に至ったかが生き生きと語られていたのだ。

面白く読んだはずなのに、登場した錚々《そうそう》たる女性たちの中で、今も覚えているのは、Aさんというロシア語通訳者だけ。彼女がとうとうと自分の波乱に満ちた半生を語りながら、漏らした台詞《せりふ》がひどく印象に残ってしまったせいだと思う。

「わたしって、オルガスムスに達したとき、本能的に『子どもが欲しい！』て思ってしまうんです」

この無防備なまでの率直さ、世間体を気にしない物言い、伸び伸びとした精神と自信、それに女の心と身体《からだ》の神秘に、心底感嘆感動してしまったのである。

それから一年も経《た》たないうちに、通訳術の師として仰ぐようになる徳永晴美さんとめぐり会った。当時わが国ロシア語通訳界の押しも押されもせぬ第一人者で、今や実践的通訳論の古典的名著となった『ロシア語通訳読本』（日本放送出版協会）を上梓《じょうし》されたばかりの頃である。

恩義のある師匠に義理立てして、こんな大げさな形容をしたのではない。ロシア語に関係ない方にも面白いこと請け合おうではないか。単なるハウツウものに陥らない刺激と発見の多い本。通訳・翻訳を志す人は是非とも読むべき一冊。

『現代ロシア語』という二年後に休刊に追い込まれる雑誌にこの本の書評を掲載することになったおかげで、編集委員をしていたわたしは役得で未来の師匠にお会いできてしまったのである。

ちなみに編集委員は無報酬だったのだけれど、「ただほど高いものはない」という諺《ことわざ》は実に真理を突いていると思う。徳永師匠に引き合わせていただいたことひとつとっても、わたしは四年間のただ働きの元を何万倍もの利子をつけて返してもらってしまったのだから。

その豪快でもあり、繊細でもある型破りの快男児ぶりと、今まで接することの多かった研究者タイプの知性とは異質の、現実社会とガップリ組んだ逞《たくま》しくて自由闊達《かったつ》な知性にすっかり魅了されてしまった。

『ロシア語通訳読本』と徳永さんとの出会い以降、わたしは通訳という仕事に少しずつ自分の生き方をシフトさせていくようになった。そして次々とロシア語通訳業界の人々とも親しくなっていった。『女、三〇歳にして立つ』に掲載されていた写真だけでしか知らなかったAさんも、その中にいた。

あるとき、師匠の徳永さんと安酒場で通訳論を交わしたおり、Aさんの話になり、わたしは忘れられない彼女のあの台詞を口にした。

「わたしって、オルガスムスに達したとき、本能的に『子どもが欲しい！』て思ってしまうんです」

それを聞いた師匠は、ウーンと唸《うな》って下を向いてしばらく押し黙ってしまった。やおらビールのジョッキを持ち上げるとグイッと一気に飲み干し、机にたたきつけるようにジョッキをおくとつぶやいた。

「エライ！」

（ああ、やっぱり師匠もわたしと同じように、Aさんの大胆不敵な率直さと女の神秘的な力に驚嘆して感極まっているんだわ）

と納得したわたしは妙に嬉《うれ》しくなったものだ。すると、師匠は続けて、

「あの顔相手にオルガスムスに達するまでガンバル男はエライ！」

酔いが吹っ飛んでしまうようなショック。こういうのをコペルニクス的大転換というのではないだろうか。同じ発言に対して、人によってこれだけ受け取り方が違う。天動説と地動説ほどの違い。思えば、男と女はもっとも身近な異文化、異なる宇宙。

どうやら、このささいな出来事は、その後のわたしの運命を象徴しているかのような気さえする。徳永師匠に惹《ひ》かれてはまり込んでしまった通訳という稼業《かぎょう》は、異なる文化を背景にする言葉による交信を取り持つことを職業的使命にする。

おおよそ大多数の人々にとって、自己と自民族あるいは自国中心に世界は回っているものだから、地動説と天動説の出会いというよりも、天動説同士の衝突が日常茶飯。

あらかじめ台本をわたされる役者と違って、同じヤクシャでも通訳者は、特に同時通訳者は、次に話し手が何を言い出すか分からない。まるで暗闇《くらやみ》の中をまさぐるようにして進むも同じ。こういう場合、話し手のおかれた立場に自分をおけばおくほど、話し手が次に言い出す言葉が予測しやすい。だから通訳者は自然話し手の意識世界に入り込もう入り込もうと努めるものだ。一方で聞き手に訳出して伝える際には、聞き手の立場に自分をおけばおくほど、聞き手により正確に理解できるよう伝えることができる。

つまり、話し手と聞き手両方の言葉を解する通訳者の業務中の頭の中では、異なる常識と発想法と見方が衝突したり、補強し合ったり、調和したり、齟齬《そご》をきたしたりしてひしめき合っている。戦場のような、喜劇の舞台のような、とにかく心安らかな秩序と安定には無縁な時空間なのである。

そこでは、明確に概念規定されていると思い込んでいた単語の輪郭さえも、ゆらゆらと揺らぎ、ミシミシと音たてて崩れることが、ごくありふれた出来事のように繰り返される。言葉と、それが指し示す事物の間の距離を、これほど恒常的に感じ続ける職業も珍しいのではないか、という気がしてならない。

タイ山岳地帯の国連医師

もちろん、あくまでも推計に過ぎないが、西暦元年頃の地球人口は三億人ほどだったそうだ。それが、一七世紀も半ばになって、ようやく五億人に達する。その一〇〇年後の一八世紀半ばには七億、五〇年後の一九世紀初頭には九億、一八五〇年に一一億、一九〇〇年には一六億、一九三〇年には二〇億、一九六〇年には三〇億、一九七五年には四〇億、そして二〇世紀末までに六〇億を越えると国連は推計している。

何だか眺めているだけで、ゾーッとしてくる数字である。要するに人類の繁殖速度はどんどん加速度をつけてきており、そのうち「ネズミ算」ではなくて、「ヒト算」というようになるのではないか。いやその前に猛スピードで複利的に増えていく人間たちに地球の資源が食い尽くされて枯渇《こかつ》し、破局が訪れるのではないか。

そんな心配を人類を代表してしているのが、ＵＮＦＰＡ（国連人口活動基金）という機関である。

「貧乏人の子沢山」という諺があるが、この真理はかなり普遍性があるようで、地球の人口分布をみると、いわゆる「先進国」と呼ばれる金持ち諸国に世界人口の四分の一、「発展途上国」と呼ばれる貧乏国に四分の三が棲息《せいそく》している。しかも、繁殖速度をみると、前者において、〇・七％ほどであるのに対して、後者においては二・一％に近い。つまり三倍のスピードである。この「先進国」と「途上国」の間の人口ギャップはどんどん広がりつつあるらしい。

ただし、公正を期するために記しておくと、資源を食い尽くしている度合いは、金持ち国のほうが圧倒的に高い。たとえば石油、石炭、ガスなどの化石燃料の四分の三は、「先進国」が消費しているのである。たとえば、世界石油消費量の二五％は、アメリカ合衆国が占めているし、人口一二億の中国に較《くら》べて、人口がその約一〇分の一の日本のほうが石油は二倍消費しているのだ。不気味に拡大しつつあるオゾン層のブラック・ホールの主要ファクターと言われる世界各国のフロンガス総排出量の大半をアメリカ合衆国が占めているのは、よく知られている。食料の配分だって事情は似たり寄ったりだ。世界の人口の三分の一が飽食しているかわりに、三分の二は飢えている。

貧しいから子沢山なのか、子沢山だから貧しいのかは、言い定めにくいが、少なくとも一九六三年の第一回国連アジア人口会議を契機に、過度に高い人口増加率が近代化を妨げるというコンセンサスが、途上国の指導部に自覚されるようになった。家族計画など人口抑制のための様々な政策もとられるようになった。アジア各国のその方向での努力を奨励し経験を蓄積交流するために、ＡＰＤＡ（アジア人口開発協会）やＡＦＰＰＤ（人口と開発に関するアジア議員フォーラム）などが結成され、国連人口活動基金と協調しながら、様々な活動を展開している。

たとえば、その後タイの厚生大臣となった医学博士のＢ先生も、以上の各機関の依頼を受けて、タイ山岳地帯の少数民族の集落を回り、避妊に関する啓蒙《けいもう》活動を行なったことがある。行く先々の集落で広場や学校に人々を集め、簡単な講義をし、使い方を説明した上で、避妊用ゴム製品、つまりコンドームを配る。

翌年同地区を訪れてみると、ちっとも避妊具の効き目はなかったようだ。ウジャウジャと子どもが増えている。どうも、使い方がキチンと伝わっていないらしい。

それでB先生は、今度は自分の親指にゴム製品を被《かぶ》せて見せながら、このように使うのだと懇切丁寧に説明した。皆ひとみをキラキラ輝かせてうなずいている。そういえば、前回は、これほど反応は良くなかった。今度こそ分かってもらえたらしい。B先生は心も軽やかに山を下りた。

次の年、再び同地区を訪ねたB先生は、愕然《がくぜん》とした。またまた子どもの数が増えているというのだ。先生の置いていったアレを、先生が言ったとおりの使い方で使うようになってから、さらに子どもがよく生まれるようになったと、村人たちは口々に訴える。

しかし、さすが医者である。ここで怯《ひる》むことなく、アレを一体どういうふうに使ったのか、と村人たちに問い質《ただ》す。

「だから、先生の見せてくれた通りにやったんだべ」

「見せたとおりにって、まさか……」

「先生、アレ親指さはめておられたもんだから、オレたちも、親指さはめて……」

以上は、APDAの会議でB医師が自ら行なった報告の再現である。コンドームという品物に込められた第一義的意味は避妊という機能なのだが、避妊のメカニズム、つまりは射精と受胎の相関関係が理解されていないところでは、避妊具の意味は、おまじないの一種ぐらいに受け取られていたのだろう。

イラクの日本人

それにしても、こうして常識がたちまち根底から覆《くつがえ》される生のドラマを体験者自らの口から聞けるのだから、同時通訳と乞食《こじき》は、三日やったらやめられない。などと自惚《うぬぼ》れていたら、異文化衝突体験では、とてもかなわない歴戦の勇士にお会いした。

財団法人・日本国際協力センターという外務省の外郭団体がある。日本政府が行う主に途上国に対する様々な支援の実施機関である。ここの東京支所長の平野偉《いさむ》氏は、仕事がら世界中実に様々な国を訪れておられる。しかも、訪問先は、「先進各国」のように画一的な消費文明に染まっていない、独自の文化と思考法を濃厚にたたえる、個性豊かなアジア、アフリカ、ラテン・アメリカの国々が多い。

だから、平野氏は、まるでアラビアン・ナイトのシェヘラザード姫のように、汲《く》めども尽きぬ話の宝庫のような方である。それに元々自由で心の開かれたお人柄であるとお見受けしたが、それが異文化摩擦によって、さらに磨きがかかったご様子で、お話を伺っていると、何とも柔軟で伸びやかな発想法に接して、心地よい風に吹かれているような、爽快《そうかい》な気分になる。

たとえば、ある時こんなことをおっしゃった。

「イラクに住んだことがあります。面白いんですよ。イラクの方を自宅の昼食会に招くとしますでしょ。そのイラク人の客が高価な皿を割ってしまったとする。すると、この客は決して謝らないばかりか、

『マーレッシュ＝気にすることはない』

と平然と言ってのけるんです。日本人のホストはカンカンに怒ってしまいます。

『じ、じ、自分で皿割っといて、な、な、何が気にすることはないだ』

そうなるのは、分かりますでしょう。まあ、イスラム圏に行くと、そのあたりでムスリムとイスラム文化に反発して大嫌いになってしまう人が、結構多いんです。でも、それは、発想法の違いなんです。

『割れてしまった皿は、元に戻らない。その皿をあなたが割ったということならば、どれだけ責任や悔恨の念に苦しめられるだろう。ところが、神は、その皿を割ってしまうという不幸をわたしの身に振りかけた。だから、気にすることはない。あなたは幸福者だ』

という論理展開になるんですね。この論理に納得する、少なくとも慣れるのは、なか

なか大変かもしれませんが、それでも、そういう異なる発想法があるということ自体が何か楽しくなりますねえ。たしかに、ものは考えようなんですよ。大切な皿が他人に割られたときでさえ、

『ああ、自分が割ったのではなくてよかった』

と考え、割ったほうは割ったほうで、

『ああ、相手を皿を割る不幸から解放してあげた』

と考える。双方いいほういいほうに考えるんですね」

ブダペストの日本人

さて、その平野氏が最近ハンガリーはブダペストに出張なさったときのことである。ハンガリーは、東欧社会主義諸国のなかでいち早く市場経済的要素を取り入れていた国であったが、ご存知のように八〇年代末の社会主義体制崩壊の波の中で共産党政権が打倒されて以降は、さらに本格的に社会主義的計画経済から脱却し市場経済への移行を推進するようになった。

日本側では、こういう移行経済諸国にも青年海外協力隊を派遣しようという基本的な方針が決まっていて、ブダペスト訪問時、どんな人たちをどんな分野に派遣したらよいかという点をハンガリー側と話し合うことも、平野氏の日程に入っていた。

今まで、青年海外協力隊の派遣先は、いわゆる発展途上国であったから、井戸を掘ったり、灌漑《かんがい》施設や橋を建設したり、農業指導を行なったりというのが、主な事業内容だった。ところが、ハンガリーは、そのいずれの分野でも充実していて、支援を必要としていない。

さて、どんな分野のお手伝いができるか。ハンガリー側担当責任者と各分野を検討してみた。

「そうだ、スポーツをやりましょう」

ということになった。ところが、実際に話し合っていくうちに、先のオリンピックで人口一億三〇〇〇万の日本が獲得した金メダルは四個、人口一〇〇〇万のハンガリーは一一個であることを思い出した。とても、日本がご指導申し上げるような相手ではない。日本側が恥じ入っていると、ハンガリー側が助け船を出した。

「日本の伝統的な武道は、ハンガリーでも大変人気がありますから、剣道や柔道の先生を派遣してくださると、助かります」

「ああ、それならお役に立てそうです。では、どんなレベルの先生を派遣いたしましょうか」

「そうですねえ。わたしどもは、初心者ですから、大家の先生などに来ていただくのはもったいない。贅沢《ぜいたく》はもうしません。柔道と剣道の基本をわきまえておられる方なら、どんな方でも大歓迎です。まあ、ついでに、と言っては何ですが、その方が宮本武蔵《むさし》の『五輪書』と新渡戸《にとべ》稲造の『武士道』を解説してくださると有り難いのですが……」

「はあ……」

と溜息《ためいき》をついたまま、何と答えてよいか迷っている平野氏にハンガリー側は、さらに続けた。

「そうそう、ハンガリー人はもともとアジア系のフン族の末裔《まつえい》ですから、日本文化全体に対する親しみと関心が強いのです。日本語の教師を派遣していただけると、大変人気を呼ぶと思いますよ」

「どんなレベルの日本語教師がおいりようなんでしょうか」

と今度は平野氏は恐る恐るたずねる。

「集まるのは、入門者ばかりですから、これも偉い先生に来ていただくのは恐縮です。まあ、日本語の基本が教えられて、お茶とお花のたしなみがあって、清少納言《せいしょうなごん》の『枕草子《まくらのそうし》』を解説してくださる方なら、もうどんな方でもよろしいのです」

この話をしてくださった平野氏は、笑いながらおっしゃった。

「そんな要請が青年海外協力隊に寄せられたのは、前代未聞《ぜんだいみもん》。活動開始以来初めてですよ」

同じ「武道教師」、「日本語教師」という言葉ながら、それに込める意味、思い浮かべるイメージが、想像を絶するほどかけ離れているのがおかしい。そして、ここには日本人とヨーロッパ人の人間観、文化観の根源的な相違が反映されていてゾクゾクする。
古代ギリシャとルネッサンス以来、ヨーロッパ人の理想的人間像は、万能の天才なのである。レオナルド・ダ・ビンチとまではいかなくとも、多面的に知識・教養・能力を伸ばし開花させていくことこそが、その人と社会の幸福につながるとする見方が強い。そして、知識とか教養とか文化とは、そもそも無限の広がりと連なりを持つものとして捉《とら》えられているから、バラバラにぶつ切りされることは不可能だというふうに考えているようだ。教育の方法も制度も、その考え方に則して組み立てられるのは、いうまでもない。そして、どちらかというと、ヨーロッパの辺境に位置し、人種的にはアジア起源のハンガリーの人々が、一生懸命ヨーロッパしているのが、これまたひとつの真理を突いていて楽しい。

意味の生まれる瞬間

同一の事物や現象が、視点を違えるだけで全く別なものに見えてきたり、同一の単語や語句が、文化的歴史的背景や身分階級時代など、置かれた文脈によって思いがけない意味をおびたり。言語を学習し、それを駆使する難しさは、まさにそこにある。通訳、翻訳という営みには、そんな場面に出くわす機会が桁《けた》違いに多い。それは、また楽しい発見であり、パターン化しがちな脳細胞に対する刺激になる。

「異文化の交差する瞬間にこそ意味は生まれる」

と指摘したのは、わたしが徳永師匠と同じくらい敬愛するミハイル・バフチン先生だったような気がする。

異端との出会いこそが、曖昧《あいまい》であった言葉の意味を明確にしてくれる。相手の、またわれわれ自身の意思や立場をも自覚させてくれる。そしてわれわれを、まぎれもなく豊かにしてくれる。

これが、いかに創造力を刺激促進するものであるかは、現代欧米文化の旗手たちの実に驚くべき多数を、主流のキリスト教からすると異端のユダヤ系の人々が占めていることと、また戦後日本の文化が、「外側からの眼」を備えた大陸からの引揚者たち無しには考えられないことからも明らかであろう。

国民文化の華と思われているものが、実は外来者によってもたらされたり、創《つく》られたりしたものであることも予想以上に多い。たとえば、スペインを代表するフラメンコも、ハンガリー人が瞳《ひとみ》輝かせ鼻高々と自慢するナショナル・ダンスのチャルダッシュも、もとはといえば、インド半島出身の流浪《るろう》の民ジプシーが、地元農民の踊りを鑑賞にたえる、つまり金の取れる踊りにアレンジしたものだ。

となんだか、やたら高揚した教訓調で終わるのも気恥ずかしいので、ロシアの小咄《こばなし》の助けを借りることにする。

天寿を全うしたブレジネフ書記長は、当然の成り行きとして地獄に落ちた。入り口のところで門番が待ちかまえていて、注意する。

「ブレジネフさん、地獄に来た以上、必ず罰を受けなくてはなりません。書記長として逃れるすべはありません。ただし、どんな罰を受けるかは、選択できる仕組みになっています。自分で見て選びなさい」

そう言われてブレジネフは、地獄を一通り見学した。すると、レーニンは針の山でもがき、スターリンはグツグツ煮えたぎる釜《かま》の中で悶《もだ》えていた。ブレジネフは思わず身震いをしたほどだ。

ところが、なんと向こうのほうでは、フルシチョフがマリリン・モンローと抱き合っているではないか。ブレジネフは手をたたいて叫んだ。

「これだ。わたしにもフルシチョフ同志と同じ罰を与えてもらいたい」

地獄の職員が言った。

「とんでもない。あれはフルシチョフではなく、マリリン・モンローが受けてる罰ですぞ」

（ロシア小咄集『独裁者たちへ!!』講談社）

蛇足ながら、視点を当事者から一挙に相手方にずらして笑いをとる方法は、ロシア小咄の常套《じょうとう》手段で、お気づきのように、エピローグ冒頭の話でわたしが師匠の徳永さんに一本取られたのは、このワザによる。

解説

徳永晴美

では質問です。

「貴女《あなた》がシャワーを浴びている最中に突然、男がドアを開けました。とっさに貴女はバストかアソコか、どちらを隠しますか」

では第二問です。真面目《まじめ》に考えて答えて下さい。

「金持ちだけど、病弱かつ病気。逆に、貧乏だけど健康。あなた自身のことなら、どちらを選びますか」

では最初の質問について。男から言わせてもらいますと、どちらが見えても、何だか得した、という感じになるそうで、一番つまらないのは、顔が見えない場合。ですから、正解は「顔を隠す」です。

二番目の質問については、「病弱、病気でも金持ちなら立派な治療ができるかもしれない。けれども、治らないかもしれない。だったら、貧乏でも健康なほうがいい。健康ならお金は働いて稼げるから」と普通は考えるでしょう。が、就職超氷河期に会社訪問をしている学生なら、一部はヤケで前者を選択するかも知れませんね。でも、正解は、お金持ちで健康が一番いい、です。

実生活が、知らず知らずのうちに、「グッドかベター」の二者択一を迫っているので、私たちは、ついつい「ベスト」とは何かについて考える余地、余裕を失いがち。疑似解答を迫られながら生きている。この本に書かれた「第三の眼」が持てないのでしょう。

冒頭の二つの質問に見事「正解」した方には、この本はご不用です。

ところで、私はこの『魔女の1ダース』で著者の米原万里さんが「師匠」と呼んで取りあげておられる徳永晴美です。大方は、「年老いた優しそうな淑女」を想像するようです。ところが、私は彼女よりせいぜい四つほど年上でしかない。さらに、皆さんの先入観に反して、ギトギトでガサツな中年の「男」だ。

このように、いわゆる常識、先入観、思い込みがどれほど当てにならず誤解のもとになるか、について古今東西、森羅万象にわたって書いたのが『魔女の1ダース』です。全編を貫く思想の一つは、世の中には絶対というものはなくて、全《すべ》ては相対的かあるいは逆説的でさえあるということを心すべし、です。

もともと米原さんは、ゴルバチョフ旧ソ連大統領、エリツィン・ロシア大統領やノーベル賞受賞者で「ソ連の水爆の父」のサハロフ博士（故）の通訳などの仕事を私と一緒にした同時通訳者。それだけに、こちらの言い分、相手のロジックなどが衝突して火花を放つ修羅場をかい潜《くぐ》ってきた人物です。現代の第一級の知性がぶつかり合う現場で、結局すべては相対的なのだ、と悟ったようです。

ちなみに、唐突ですが、「相対的」と書いたらこんな話を思いだしました。

ロシアでは飛行機や長距離列車に乗り合わせた客同士が口をきくのはほぼ常識で、これが楽しくもあり、苦痛になるときもある。で、あるとき、ロシアでいま流行《はや》りの黒皮ジャンパー・ジーパン姿の成金野郎が、モスクワからパリ行きのファーストクラスに乗り合わせたしわくちゃ背広の隣客に口をきいてやった。


「パリへは、仕事でかね」

「ええ、我が国の代表で、国際相対性理論学会に出席するもんで……」

「へえー、相対性理論ねぇ。何だかむつかしい話のようだが……」

「いや、それほどでもないッすよ」

「じゃー、それって、ひとくちで説明できるかい」

「うーん、そうねー、例えば、おたくのはげ頭に髪の毛が三本あるとする。こりゃ多いか少ないか」

「そりゃ、少なすぎる」

「じゃー、おたくがいま飲もうとしているスープに髪の毛が三本入っている。こりゃ多いか少ないか」

「そりゃ、多すぎるさ」

「だろう。全ては相対的なのだ。では次に、おたくのケツの穴に僕の親指を突っ込んだと仮定する。そうすると、僕のほうも指がケツに入ってるし、おたくのほうも指がケツに入っている。けど、それって極めて相対的なことだろ?」
「うーん、その理論、かなりわかったような気がするけどー、そんな話をさせるために、わざわざあんたを国際学会に出張させるほど我が国に金あったっけなー」

以上はロシアの小咄《こばなし》。下ネタに関してロシアは超先進国。そのロシア人と付き合った私、の弟子の米原万里さんを私は「シモネッタ」というあだ名で呼ぶ。イタリア語に堪能《たんのう》な彼女の妹がたまたま同席していたので、イタリア語まがいの発音で付けたニックネームだ。期待どおり本編でもシモネタが豊富。スカトロジーに関するウンチクもフンダンにある。それらが哲学、言語学、心理学、文化人類学的な文脈で顔を出し、「常識」に冷水を浴びせる。

他方、通訳、異文化コミュニケーション論、IMF・ロシア・国際経済論、人類史、宗教、文学、読書、教育、ハンサム、恋愛論、アリストテレス以来の政治学など、目が回るほどのテーマ展開で、逆転の発想を披露する。宝石箱と汲《く》み取り式便槽《べんそう》の中身を一挙にブチマケタような、おぞましい知の万華鏡《まんげきょう》の世界だが、恐れてはならない。

どこからその世界が生まれたのか。もう少し深く考えると、解答の一端は「帰国子女」ということにある、と推察するのが「常識」だろうか。読めば分るが、彼女は「チェコスロバキアの在プラハ・ソビエト学校で学んだ日本人」という、木に竹を継いだ、アマルガム人間で、その思惟《しい》は折衷的で(だから彼女について書く私の文章も「ですます」と「だ、である」の混在になる）希有《けう》だ。日本的なものといえば小家族内のそれがすべて。その小惑星から日本にリエントリー・再突入する際に生じた衝撃、摩擦、反発、熱……全て作用反作用で生じる意識内でのそれが米原万里の世界の根源かもしれない。

異星人として、社会主義の国から資本主義の日本に再突入した。それまでとは違う尺度と考え方の国。そこには固有の、異質の常識が、壁のように厳然とそびえている。教育現場、日常生活などで接する大方は守旧の人々で、視野は凝り固まっている。その絶対的な圧力に対抗して、「ここが変だよ日本人」という異議申し立てが頭をもたげる。おまけに、一時期つき合った日本の共産主義者の少なからぬ部分が「我々だけが正しい」という無謬《むびゅう》主義に陥っていることを悟る。一方で、通訳の仕事を通して更なる異文化体験を積む。こうした螺旋《らせん》階段を登ってたどり着いたのが、相対主義と逆説の世界観で、これが本書におけるオリジナリティーだ、と勝手に推測しています。

ところで、米原万里のあだ名は、正式には、「シモネッタ・ドジ」。「ドジ」とは、彼女が「出来が良くないのに〝同時通訳者です〟といってお金貰《もら》うのヤダ」と言うから、僕が、「じゃー、音引きせずに〝ドジツウヤクです〟といえばいい」とアドバイスしたことに由来する。いまでこそロシア語通訳の第一人者と呼ばれ、TBSテレビの「ブロードキャスター」という番組で毒舌を吐くことで有名だが、二〇年ほど前の同時通訳デビューは誠に初々《ういうい》しかった。東京での「アジア交通運輸労組セミナー」の同時通訳に引っ張りだしたときのことだ。用意されたペーパーをロシア語に翻訳しておいて「同時読み上げ」するだけの仕事を任せたら、話し手に合せてロシア語文を読み始めた途端、「だめ、私やっぱり才能無い、こんなの向いてない」と言ってヘッドホンを脱ぐではないか。とっさに私は「万里ちゃん、大丈夫だよ、分るところをゆっくり伝えるだけでいいんだよ」とささやいて、ヘッドホンを付けてやった。これが今日の同時通訳者米原万里の誕生シーン。思えば遠くへ来たもんだ！

今では、まず通訳をやってギャラをもらい、その内容のおいしい部分を雑誌に書き、それを元に単行本を出し、それが文庫本になる。一粒で四度美味《おい》しい。グリコも顔負け。で、『魔女の1ダース』についてもう一言コメント。日本人宇宙飛行士第一号の秋山豊寛さんに「どちらかというと欠点だらけの」という形容はいかがなものか。日本人の「常識」では、そういうときは「どこまでも人間臭い」とかなんとか書くものだが。それに、俺とオルガスムスに関する引用で、ロシア語の世界で俺の株が更にがた落ちになった責任をどう取るんだ！　またこの解説、しょせん米原万里の固形廃棄物のあとの尻《しり》ぬぐいではないか。クソ忙しいのに！

それにしても、人の話を聞いて、そのディテールを克明に記憶する能力には驚嘆させられっぱなしだ。

（一九九九年十一月、朝日新聞外報部記者・総合研究センター主任研究員）

この作品は一九九六年八月読売新聞社より刊行された。

米原万里著

不実な美女か貞淑な醜女か

読売文学賞受賞

瞬時の判断を要求される同時通訳の現場は、緊張とスリルに満ちた修羅場。そこからつぎつぎ飛び出す珍談・奇談。爆笑の「通訳論」。

松本　修著

全国アホ・バカ分布考

―はるかなる言葉の旅路―

アホとバカの境界は？　素朴な疑問に端を発し、全国市町村への取材、古辞書類の渉猟を経て方言地図完成までを描くドキュメント。

仲村清司著

沖縄学

―ウチナーンチュ丸裸―

「モアイ」と聞いて石像を思い浮かべるのはヤマトンチュ。では沖縄人にとってはなに？　大阪生れの二世による抱腹絶倒のウチナー論。

佐野洋子著

ふつうがえらい

嘘のようなホントもあれば、嘘よりすごいホントもある。ドキッとするほど辛口で、涙がでるほど面白い、元気のでてくるエッセイ集。

佐野洋子著

がんばりません

気が強くて才能があって自己主張が過ぎる人。あの世まで持ち込みたい恥しいことが二つ以上ある人。そんな人のための辛口エッセイ集。

佐野洋子著

シズコさん

私はずっと母さんが嫌いだった。幼い頃からの母との愛憎、呆けた母との思いがけない和解。切なくて複雑な、母と娘の本当の物語。

村上春樹
安西水丸著

村上朝日堂は
いかにして鍛えられたか

「裸で家事をする主婦は正しいか」「宇宙人に知られたくない言葉とは?」'90年代の日本を綴って10年。「村上朝日堂」最新作!

群ようこ著

おんなのるつぼ

電車で化粧? パジャマでコンビニ?? 肩ひじ張る気もないけれど、女としては一言いいたい。「それでいいのか、お嬢さん」。

群ようこ著

じじばばのるつぼ

レジで世間話ばば、TPO無視じじ、歩きスマホばば……あなたもこんなじじばば予備軍かも? 痛快&ドッキリのエッセイ集。

玉岡かおる著

お家さん
(上・下)

織田作之助賞受賞

日本近代の黎明期、日本一の巨大商社となった鈴木商店。そのトップに君臨し、男たちを支えた伝説の女がいた——感動大河小説。

三浦しをん著

乙女なげやり

日常生活でも妄想世界はいつもハイテンションョン。どんな悩みも爽快に忘れられる「人生相談」も収録! 脱力の痛快ヘタレエッセイ。

三浦しをん著

桃色トワイライト

乙女でニヒルな妄想に爆笑、脱力系ポリシーに共感。捨てきれない情けなさの中にこそ愛おしさを見出す、大人気エッセイシリーズ!

井上ひさし著
私家版日本語文法
一家に一冊話題は無限、あの退屈だった文法いまいずこ。日本語の豊かな魅力を爆笑と驚愕のうちに体得できる空前絶後の言葉の教室。

井上ひさし著
自家製文章読本
喋り慣れた日本語も、書くとなれば話が違う。名作から広告文まで、用例を縦横無尽に駆使して説く、井上ひさし式文章作法の極意。

南　直哉著
老師と少年
生きることが尊いのではない。生きることを引き受けるのが尊いのだ――老師と少年の問答で語られる、現代人必読の物語。

柳田国男著
日本の伝説
かつては生活の一部でさえありながら今は語り伝える人も少なくなった伝説を、全国から採集し、美しい文章で世に伝える先駆的名著。

柳田国男著
日本の昔話
「藁しべ長者」「聴耳頭巾」――私たちを育んできた昔話の数々を、民俗学の先達が各地から採集して美しい日本語で後世に残した名著。

森　茉莉著
私の美の世界
美への鋭敏な本能をもち、食・衣・住のささやかな手がかりから〈私の美の世界〉を見出す著者が人生の楽しみを語るエッセイ集。

新潮文庫最新刊

D・キーン
角地幸男訳
石川啄木
貧しさにあえぎながら、激動の時代を疾走し、烈しい精神を歌に、日記に刻み続けた劇的な生涯を描く傑作評伝。現代日本人必読の書。

D・キーン
角地幸男訳
正岡子規
俳句と短歌に革命をもたらし、国民的文芸の域にまで高らしめた子規。その生涯と業績を綿密に追った全日本人必読の決定的評伝。

今野敏著
清明
―隠蔽捜査8―
神奈川県警に刑事部長として着任した竜崎伸也。指揮を執る中国人殺人事件の捜査が公安の壁に阻まれて――。シリーズ第二章開幕。

木皿泉著
カゲロボ
何者でもない自分の人生を、誰かが見守ってくれているのだとしたら――。心に刺さって抜けない感動がそっと寄り添う、連作短編集。

中山祐次郎著
俺たちは神じゃない
―麻布中央病院外科―
生真面目な剣崎と陽気な関西人の松島。確かな腕と絶妙な呼吸で知られる中堅外科医コンビがロボット手術中に直面した危機とは。

百田尚樹著
成功は時間が10割
成功する人は「今やるべきことを今やる」。社会は「時間の売買」で成り立っている。人生を豊かにする、目からウロコの思考法。

魔女《まじょ》の1ダース

—正義と常識に冷や水を浴びせる13章—

新潮文庫　よ－19－2

平成十二年一月一日発行
令和四年六月二十五日　二十四刷

著者　米《よね》原《はら》万《ま》里《り》

発行者　佐藤隆信

発行所　株式会社　新潮社

郵便番号　一六二―八七一一
東京都新宿区矢来町七一
電話　編集部(〇三)三二六六―五四四〇
読者係(〇三)三二六六―五一一一
http://www.shinchosha.co.jp

価格はカバーに表示してあります。

乱丁・落丁本は、ご面倒ですが小社読者係宛ご送付ください。送料小社負担にてお取替えいたします。

印刷・株式会社三秀舎　製本・株式会社植木製本所

ISBN978-4-10-146522-7 C0195